JE MÉDITE,
JOUR APRÈS JOUR

Je médite, jour après jour se prolonge sur
www.editions-iconoclaste.fr

Ce livre est la verson texte, revue
et augmentée, de *Méditer, jour après jour*.

L'Iconoclaste
27 rue Jacob,
75006 Paris
Tél. : 01 42 17 47 80
iconoclaste@editions-iconoclaste.fr

Pour entrer en contact avec l'auteur
Un site : www.christopheandre.com
Un blog : http://psychoactif.blogspot.fr
Et une page Facebook.

CHRISTOPHE ANDRÉ

JE MÉDITE,
JOUR APRÈS JOUR
PETIT MANUEL POUR VIVRE
EN PLEINE CONSCIENCE

L'ICONOCLASTE

*En hommage reconnaissant
à Jon Kabat-Zinn pour la vision,
à Zindel Segal pour la science,
à Matthieu Ricard pour l'exemple,
et à tous les trois pour leur
enseignement et leur amitié.*

PRÉLUDE
LA PRÉSENCE, PAS LE VIDE

1

PRENDRE CONSCIENCE :
UNE ATTITUDE MENTALE

2

VIVRE AVEC LES YEUX
DE L'ESPRIT GRANDS OUVERTS :
UNE PHILOSOPHIE DE VIE
QUOTIDIENNE

3

TRAVERSER LES TEMPÊTES :
LE REFUGE DE L'INSTANT PRÉSENT

4

OUVERTURES ET ÉVEILS :
LE PLUS GRAND DES VOYAGES

ENVOL
FIN ET COMMENCEMENT

Tout a changé pour moi...

Tout a changé pour moi :
une gorgée d'air, un bout
de ciel, un regard, chaque
instant de ma vie me
nourrit. Chaque instant ?
D'accord, j'exagère un peu.
Mais à peine. Beaucoup,
beaucoup d'instants ; de
plus en plus, avec le
temps. Méditer m'a
changé et va vous
changer.

Méditer n'est pas exotique,
ni anodin. C'est important :
une question de vie ou de
mort. Certes, on peut vivre

sans méditer, et l'on mourra même si l'on médite. Mais la lumière de la pleine conscience va nous aider à mieux habiter la vie et, ce qui est la même chose, à mieux côtoyer la mort.

Car il n'y a que deux certitudes : la première, c'est que nous allons mourir un jour ; la seconde, c'est que nous sommes encore en vie. La méditation nous aide à contempler la première vérité sans

trembler ; et à ne jamais
oublier la seconde.

Nous pouvons méditer
dans toutes sortes de
moments. Lorsque la
vie est facile : il suffit
alors de respirer douce-
ment et de prendre
conscience de notre
chance d'être là.
Mais aussi lorsque
la vie est banale.
L'effort à faire est
minuscule, juste se
dire : "lève la tête,
ouvre les yeux, quoi

que tu fasses, où que tu
sois, tu es en vie,
c'est merveilleux."
Et lorsque la vie est
dure? Aussi, car c'est
dans la tourmente que
nous avons le plus
besoin de la pleine
conscience, pour ne pas
laisser notre esprit se
rétracter sur la peur,
le chagrin, le désespoir.
Pour comprendre que,
quoi qu'il arrive, la
grâce est là, ou sera
bientôt là. Très diffi-
cile. C'est pourquoi

on qualifie la méditation d'entraînement de l'esprit: tout un cheminement d'efforts et d'exercices.

Sur ce chemin, il n'y a pas de raccourci. Mais la vue y est magnifique, bien souvent. Qu'allons-nous y chercher, en travaillant ainsi à méditer, jour après jour? Qu'espérons-nous trouver? Peut-être ce dont parle le philosophe Gustave

Thibon lorsqu'il écrit :
"L'homme a soif de
vérité, mais est-ce
la source qu'il cherche
— ou l'abreuvoir ?"

Si vous êtes en train de
lire ce livre, c'est que
vous cherchez la
source.

Et vous la trouverez.
Tôt ou tard.

Christophe André
janvier 2015

« VOUS VOYEZ CETTE PLUME ?
EH BIEN C'EST UNE PLUME
D'ANGE. MAIS RASSUREZ-VOUS,
JE NE VOUS DEMANDE PAS
DE ME CROIRE, JE NE VOUS LE
DEMANDE PLUS. POURTANT,
ÉCOUTEZ ENCORE UNE FOIS,
UNE DERNIÈRE FOIS, MON
HISTOIRE. »

Claude Nougaro, « Plume d'Ange »

custom. John C. fired off his shotgun. The result was startling in the extreme. The Auxies pulled up as if they had literally been shot, then advanced slowly and cautiously while the two sentries named, with an inner group of scouts, to wit, Eugene Crowley, Tommy Murray and Jim Riordan, got away under the conventional hail of lead. 'They actually had set fire to the building when the Tans surrounded them, having driven up by a back road, and escaped under a withering fire' (Patsy Lynch: *Official Statement*). The 'withering fire', however, did not affect the building. It survived until December . . . Many years later John C. Creedon stood before a too sceptical Pensions Board in Dublin, and declared, with unconscious humour and bleak adherence to accuracy, as was his wont, that he had 'defended the village of Ballyvourney with a single-barrel shotgun and one cartridge'. Most probably his alertness had saved a couple of platoons from imminent annihilation, but the fact was apparently ignored in the allotment of awards. He got nothing. *O tempora! O mores!* If he had done the same for England he would in all probability have been awarded the Military Medal, maybe even a D.S.O., given the proper climate.

The exodus from the doomed building was not as hasty as might be expected. The men inside (Pat Riordan, Con J. Kelleher and Jamie Moynihan) went on with the original plan and did not leave until the place was well alight (Con Kelleher delayed so long that he almost got captured), while a brisk encounter was taking place in the little wood outside between scattered I.R.A. men and the British who had now surrounded it. For impetuous fighters the Auxies were rather hesitant among the trees, and an officer, encouraging his men, was heard to say — 'Come on! They have got only popguns!'. With felt shotgun cartridge wads whizzing about the association was certainly an apt one. They began to advance through the wood. They found only a self-appointed 'woodman' who had lost his bearings, had hidden his gun and begun to attack a tree with an axe he had found lying about. The officer said to let him be. As they came again into the open, at the back of the building, some men were coming towards them across the fields. They stood at the ready , but the newcomers proved to be only a group from Hegarty's 'Farm Yard', on whose grounds the barracks stood, while the I.R.A. slipped away unnoticed to the higher ground beyond the Behill river. As the fire had been extinguished the boys decided to set the barracks alight again that night, but the Auxies raided the village in force.

At seven o'clock they were on the hill leading into the village from the Macroom direction. They shut off lights and engines and freewheeled down in silence. The men aboard were ready at action stations, and it was 'All Out!' even before the vehicles had properly come to a standstill. The manoeuvre was accomplished in a twinkling. The village was encompassed, and the first intimation the people had of trouble was the rattle of petrol cans. In previous raids the I.R.A. had taken up positions around the village in case they attempted to burn the place down. That seemed to be their intention now. They were also looking for particular men and questioned the occupants of several houses. At William O'Riordan's general store they asked for Jerh Lucey, one of his employees, who was a section leader (not the adjutant of the same name) and was also on the Macroom Board of Guardians. He was not in, but later, when they called to Dan O'Leary's 'Hibernian Hotel', Lucey happened to be at the far end of the bar. They asked for O'Leary himself. They were told he was absent, so they proceeded to search everybody. At the order 'Hands Up' all reached for the ceiling, all except Tommy Kingston who was bartender. The inner sanctum was apparently immune to all outside influences. Tommy kept on wiping a glass (he was still serenely doing so in 1952). The order came a second time, accompanied by a swear and the advancing muzzle of a gun, and Tommy hastened to abdicate his exclusiveness in favour of a lowly place among the rank-and-file of

14

Retreat and Rearguard Action

The Coolnacahera battle had fizzled out like the proverbial damp squib, but to hold that Coolnacahera was a fiasco would be to ignore the prestige of having fought the good fight, of having kept faith with an ideal. Coolnacahera succeeded, if in nothing else, in upholding the moral continuity of the struggle as it wreathed through every century of the country's history, making the history and the story of the struggle synonymous, going along hand in hand in the agony of their unfolding. The men of Coolnacahera duly accepted their flaming torch, ran their race, and handed it on still flaming to their successors in posterity. (*Note*: It is strange to think that the classical Greek phrase for winning a race, viz. *ephthasé dramōn*, translates as 'he anticipated running', somehow implying that the race did not always go to the swift). So far they had succeeded. So far they had won a moral victory. More than that, taking into account the succeeding phases of the battle itself, it was a real victory. The Auxiliaries failed to move completely into the trap set for them and thus nullified the element of surprise. The enemy grasped his advantage. Round One to the Auxies. The I.R.A. hastily readjusted their positions in an all-out effort to come to grips. It was now a pitched battle with the I.R.A.

having the advantage of the higher ground but still not being able to close in nor prevent the enemy from establishing himself. But the Auxies were on the run. Round Two to the I.R.A. The Auxies consolidated their position in the shelter of buildings, sheds, hedges and rough ground, drew in their forces and proceeded to hit back hard and defiantly. Round Three to the Auxies. The concentration of fire, the completed encirclement, the damage to personnel and the element of time ticking their hopes away gradually broke the will to resist of the besieged troops making capitulation a necessity. Round Four to the I.R.A. The honours were even. However, at the end of almost four hours battling, one British soldier (to wit, the Commanding Officer) was dead, two were dying, and some others were undoubtedly wounded. That they all except one (Michael Murphy of Kilnamartyra was shot in the hand) happened to be Auxiliaries made it a real victory. Then the heavyweights took over and the battle of the lightweights was over. The contest had no further point in it. Its entity had changed. It was time to go. To stay and face probable annihilation would be of no avail to those who wished to fight another day. True they had won no trophies, but they had given their service and that was enough . . . '"This child is right", said the Abbott; "While we think of glory, he thinks of service"'. (From *The King*, by P.H. Pearse). The dispersal itself was an inglorious thing. As a spectacle it did not look otherwise than an inglorious thing, no less than a submission to the inevitable as an abdication of prior dignity, no less ludicrous than those skeletal bundles of tumble-weed cavorting over an arid plain before the preliminary gusts of a desert storm. So they drifted on, those groups of downcast warriors, stumbling over the rough places, tumbling into the little defiles and glens, they who had lately thrilled to the impetuous ferment of the fray and the exhilirating anticipation of victory; crowded out but not outfought, presently anxious to place as much distance as possible between themselves and that ill-starred battlefield

PRÉLUDE
LA PRÉSENCE,
PAS LE VIDE

Vivre en pleine conscience, c'est régulièrement porter une attention tranquille à l'instant présent. Cette attitude peut modifier notre rapport au monde de manière radicale, apaiser nos souffrances et transcender nos joies. La pleine conscience, c'est aussi le nom d'une forme de méditation dont l'apprentissage est simple et rapide, mais dont la maîtrise demande des années (comme tout ce qui importe dans nos vies).

Méditer c'est s'arrêter

S'arrêter de faire, de remuer, de s'agiter. Se mettre un peu en retrait, se tenir à l'écart du monde.

Au début, ce qu'on éprouve semble bizarre : il y a du vide (d'action, de distraction) et du plein (tumulte des pensées et des sensations dont on prend soudainement conscience). Il y a ce qui nous manque : nos repères et des *choses à faire* ; et, au bout d'un moment, il y a l'apaisement qui provient de ce manque. Les choses ne se passent pas comme à «l'extérieur», où notre esprit est toujours accroché à quelque objet ou projet : agir, réfléchir sur un sujet précis, avoir son attention captée par une distraction.

Dans cette apparente non-action de l'expérience méditative, on met du temps à s'habituer, à voir un peu plus clair en nous. Comme lorsqu'on passe de la lumière à l'ombre. Nous sommes entrés en nous-mêmes, pour de vrai. C'était tout près de nous, mais nous n'y allions jamais. Nous traînions plutôt dehors : à notre époque de sollicitations effrénées et de connexions forcenées, notre lien à nous-mêmes reste souvent en friche. Intériorités abandonnées... Les extériorités sont plus faciles à fréquenter, et plus balisées. Alors que l'expérience méditative est souvent une terre sans sentiers. Elle est comme un lieu où il y aurait moins de lumière : il faut y ouvrir plus grand les yeux de notre esprit. Comme un lieu où il y a moins d'évidences et de réassurances : alors nous avons à renoncer à nos repères, à notre manière habituelle d'avancer et de penser.

Laisser décanter le tumulte

On pensait, on espérait trouver le calme, le vide. On tombe souvent sur un grand bazar, du tapage, du chaos. On aspirait à la clarté, on trouve la confusion. Parfois, méditer nous expose à l'angoisse, à la douleur, à ce qui nous fait souffrir et qu'on évitait en pensant à autre chose, en s'agitant ailleurs.

Comme ça avait l'air simple, vu de dehors ! On imaginait que s'asseoir et fermer les yeux pourrait suffire. Mais non, ce n'est qu'un début, un indispensable début, ça ne suffira pas. Alors ? Alors, il va falloir travailler, apprendre à regarder, à rester là, légèrement hors du monde, comme ça, assis, les yeux fermés. Apprendre à laisser décanter le tumulte.

La première étape à franchir, c'est celle-ci : rester immobile et silencieux assez longtemps pour qu'une sorte de calme vienne envelopper le bavardage de notre esprit, suffisamment pour commencer à y voir un peu plus clair. Sans forcer, sans vouloir : cela relancerait le désordre, sinon. Laisser faire et laisser venir, de l'intérieur...

Parfois, il faut attendre longtemps. On ne peut pas accélérer ce mouvement. On voudrait bien, mais non : la méditation, ça prend du temps. Et il y a même des jours où rien ne viendra. Scandaleux, n'est-ce pas ? Et anachronique, à notre époque de promesses d'instantanéité et de garanties de résultats. Les sagesses zen fourmillent de contes à ce propos. Comme celui-ci, dans lequel un élève demande à son maître : « Maître, combien de temps me faudra-t-il méditer pour atteindre la sérénité ? » Après un long silence, le maître répond : « Trente ans ». L'élève accuse le coup : « Euh... C'est un peu long. Et si je mets les bouchées doubles, si je travaille dur, jour et nuit, si je ne fais plus que ça ? »

> « IL NOUS MANQUE L'ART
> DE RECEVOIR, SIMPLEMENT
> RECEVOIR CE QUI NOUS EST
> PARTOUT DONNÉ. »
>
> **Christian Bobin,** *La Folle allure*

Le maître garde le silence un très long moment et finit par lâcher : «Alors, cinquante ans»...

Commencer à y voir plus clair

Nous nous sommes arrêtés, donc, nous nous sommes assis et nous avons fermé les yeux. Non pour dormir, non pour nous reposer, mais pour comprendre : comprendre ce que l'on éprouve, clarifier ce désordre, qui n'est que l'écho du monde en nous. Comprendre qu'il y a deux voies : celle de l'intelligence (intervenir, agir, malaxer la réalité avec notre volonté, notre lucidité, nos efforts) et celle de l'expérience (accueillir la réalité toute nue et la laisser nous recouvrir, nous habiter, nous imprégner, dans un mouvement de lâcher prise intensément attentif).

Dans les deux cas, intelligence ou expérience, nous restons en lien avec le monde. Pour mieux le comprendre ou mieux l'éprouver. Les deux voies sont parfaites, chacune dans son genre. Il n'y a pas de supériorité de l'une sur l'autre. Nous avons besoin des deux. Et de maintenir les deux en état de marche et de vivacité.

Disons pour simplifier que la première voie est celle de la réflexion philosophique. Et la seconde (accueillir le monde sans forcément le penser, ou le penser mais sans mots, ou au-delà des mots), celle de la pleine conscience. C'est cette approche méditative en pleine conscience qui nous intéresse dans ce livre.

Exister en pleine conscience

La pleine conscience consiste à intensifier sa présence à l'instant, à s'immobiliser pour s'en imprégner, au lieu de s'en échapper ou de vouloir le modifier, par l'acte ou la pensée.

La pleine conscience est dans ce mouvement de notre esprit, qui accepte de lâcher un instant de ses habitudes de réflexion et passe à un autre registre : s'arrêter, ressentir, accueillir.

La pleine conscience, ce n'est donc pas faire le vide, ni produire de la pensée. C'est s'arrêter pour prendre contact avec l'expérience, toujours en mouvement, que nous sommes en train de vivre ; et pour observer alors la nature de notre rapport à cette expérience, la nature de notre présence à cet instant.

C'est ce qui est en train de se passer maintenant si, tout en continuant à lire lentement ces lignes, vous vous rendez compte que vous êtes aussi en train de respirer, d'avoir des sensations corporelles, de percevoir d'autres objets que ce livre dans votre champ de vision, d'entendre des sons autour de vous, de noter le passage de pensées qui vous appellent ailleurs ou qui murmurent des jugements sur ce que vous êtes en train de lire, etc.

La pleine conscience, c'est, au moment où vous allez vous apprêter à tourner cette page et à passer à la suivante (peut-être votre main est-elle *déjà* prête avant même que vous n'ayez fini de lire ces lignes), suspendre votre mouvement et observer : observer l'intention de tourner la page qui existe en vous, avant même votre décision. Vous dire « ma main se prépare déjà à tourner la page », au lieu de le faire sans même en prendre conscience. La pleine conscience c'est ça : créer, par moments, un tout petit espace pour se « voir faire ». Vous me direz que ce n'est pas indispensable pour tourner une page. C'est vrai. Par contre, cela va s'avérer utile à bien d'autres moments de notre vie.

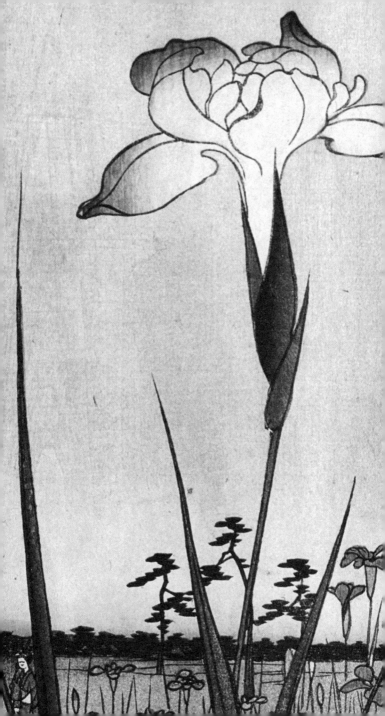

« ALORS L'ESPRIT NE REGARDE
NI EN AVANT NI EN ARRIÈRE.
LE PRÉSENT SEUL EST NOTRE
BONHEUR. »

Goethe, *Faust*

1

PRENDRE
CONSCIENCE :
UNE ATTITUDE
MENTALE

VIVRE L'INSTANT PRÉSENT

C'est maintenant, juste maintenant.
Tout à l'heure, ce sera différent.
Le nuage sera passé, la lumière aura
changé, tes états d'âme aussi. Ce ne
sera ni mieux ni moins bien, juste
différent. Alors, arrête-toi un instant.
Lève la tête, regarde le ciel. Respire
et souris : tu es en vie et tu regardes
passer un nuage dans le ciel
d'automne. Laisse entrer cet instant tout
au fond de ton cœur. Accueille toute sa
beauté et toute sa paix. Dans quelques
secondes, quelques minutes, tu
repartiras. Mais cet instant aura marqué
ta journée. Par la grâce d'un nuage qui
glissait en silence dans le ciel. Et que tu
as pris le temps de contempler.

Décider d'habiter l'instant présent

Ce que nous apprend la pleine conscience, c'est à ouvrir les yeux. Cet acte est important car il y a en permanence autour de nous des mondes que nous négligeons. Ici et maintenant. Nous pouvons y entrer en arrêtant le cours automatique de nos actes ou de nos pensées.

Ce qui facilite l'accès à ces mondes de l'instant présent, ce sont certaines grâces extérieures : un petit matin calme, un chant d'oiseau, le rire d'un enfant... Mais aussi la décision de se mettre, le plus souvent possible, en position d'être touché, contacté, frappé par la vie. Il s'agit d'un acte de conscience volontaire, il s'agit de décider d'ouvrir la porte de notre esprit à tout ce qui est là. Au lieu de nous réfugier dans l'une ou l'autre de nos citadelles intérieures : ruminations, réflexions, certitudes et anticipations.

Cet acte est un acte de libération. Libération de nos pensées sur le futur ou le passé : la pleine conscience nous ramène dans le présent. Libération de nos jugements de valeur : la pleine conscience nous ramène dans la présence. Notre esprit est encombré de tant de choses ! Parfois importantes, parfois intéressantes. Et parfois complètement vaines et inutiles. Elles sont autant d'obstacles à la vision, autant d'obstacles à notre lien au monde. Nous avons besoin du passé et du futur, besoin de

souvenirs et de projets. Mais nous avons aussi besoin du présent. Le passé importe, le futur importe.
La philosophie de l'instant présent, ce n'est pas dire
qu'il est *supérieur* au passé ou au futur. Juste qu'il est
plus fragile, que c'est lui qu'il faut protéger, lui qui
disparaît de notre conscience dès que nous sommes
bousculés, affairés. C'est à lui qu'il faut donner de
l'espace pour exister.

**Ressentir plus que penser :
la conscience immergée**

Méditer en pleine conscience, ce n'est pas *analyser* l'instant présent, ou du moins pas comme on le
croit. C'est l'éprouver, le ressentir, de tout son corps,
sans mots. Il n'est ni habituel ni confortable de traverser certains moments de notre vie sans recourir
au langage. Et pas facile : ne pas parler, passe encore, mais ne pas *penser* ! Juste éprouver, se connecter.
Pourtant, nous avons tous déjà fait cette expérience.
Ce qui se passe alors, et qui va au-delà des mots, est
très précisément décrit dans cet extrait de la *Lettre
de lord Chandos*, une magnifique nouvelle de l'écrivain autrichien Hugo von Hofmannsthal : «Depuis
lors, je mène une existence que vous aurez du mal
à concevoir, je le crains, tant elle se déroule hors
de l'esprit, sans une pensée. [...] Il ne m'est pas aisé
d'esquisser pour vous de quoi sont faits ces moments
heureux ; les mots une fois de plus m'abandonnent.

Car c'est quelque chose qui ne possède aucun nom et d'ailleurs ne peut guère en recevoir, cela qui s'annonce à moi dans ces instants, emplissant comme un vase n'importe quelle apparence de mon entourage quotidien d'un flot débordant de vie exaltée. Je ne peux attendre que vous me compreniez sans un exemple et il me faut implorer votre indulgence pour la puérilité de ces évocations. Un arrosoir, une herse à l'abandon dans un champ, un chien au soleil, un cimetière misérable, un infirme, une petite maison de paysan, tout cela peut devenir le réceptacle de mes révélations. Chacun de ces objets, et mille autres semblables dont un œil ordinaire se détourne avec une indifférence évidente, peut prendre pour moi soudain, en un moment qu'il n'est nullement en mon pouvoir de provoquer, un caractère sublime et si émouvant, que tous les mots, pour le traduire, me paraissent trop pauvres. »

« La pleine conscience ne réagit pas à ce qu'elle voit. Elle voit, simplement, et elle comprend sans

« JE SUIS VIVANT, ASSIS DEVANT
UNE TABLE EN BOIS, JE REGARDE
LA LUMIÈRE PLEUVOIR
SUR LE JARDIN – QUE PUIS-JE
DEMANDER D'AUTRE ? »

Christian Bobin, *Les Ruines du ciel*

mots », disait un maître bouddhiste. Les mots peuvent nous aider immensément, à certains moments : nommer une douleur ou une joie peut nous permettre de mieux supporter, surmonter, comprendre, savourer. Mais parfois ils ne peuvent rien pour nous, pour exprimer la complexité de ce que nous éprouvons ; ils peuvent même entraver, falsifier, gâcher notre expérience. Il y a des moments où mieux vaut ne rien dire. Il faut alors accepter de traverser la réalité différemment : ressentir, éprouver. On parle parfois ainsi de « conscience immergée » pour décrire cet état très particulier de notre esprit lorsqu'il est intensément absorbé, mais sans production de pensée volontaire, lorsqu'il est juste *dans* l'expérience.

Le goût intense de l'expérience

Lors d'une retraite de pleine conscience, je me souviens que notre instructeur nous avait proposé l'un de ces exercices bizarres dont les maîtres de méditation ont le secret. Il nous avait tous réunis en rond. Puis demandé de faire un pas en avant. Après quelques secondes de silence, il nous avait alors dit : « Et maintenant, essayez de ne pas avoir fait ce pas. » Je n'avais jamais entendu, ni surtout vécu quelque chose d'aussi frappant sur l'inanité de certains regrets. Et surtout, je n'avais jamais compris aussi clairement la différence entre l'enseignement par la

36

parole et celui par l'expérience. Dans ma surprise et ma perplexité, dans l'hésitation et le trouble de mon esprit, dans mon corps qui ne savait plus que faire, tout était transmis sur l'impossibilité d'effacer et l'inutilité de regretter...

La pleine conscience nous apprend que l'expérience est aussi importante que le savoir : lire sur la pleine conscience, ce n'est pas comme la pratiquer. Écouter un enregistrement d'exercices de méditation pour *prendre connaissance* de son contenu, ce n'est pas comme *faire* ces exercices.

L'expérience, comme voie d'accès au réel, ne remplace pas le savoir, la raison ou l'intelligence, mais elle les complète. Et il n'y a rien de plus simple que l'expérience, il suffit de prendre le temps : il faut juste s'arrêter pour éprouver. Pour regarder, écouter, sentir, il faut suspendre notre action ou notre mouvement. Faites-le. Maintenant. Arrêtez de lire. Arrêtez de lire, fermez les yeux et prenez conscience. Notez de quoi est composée votre expérience, juste ici et maintenant. Pendant une minute, maintenant, tout de suite. Personne, absolument personne ne peut le faire à votre place. Et personne, absolument personne ne pourra non plus méditer à votre place. Alors redressez-vous doucement, respirez tranquillement et fermez les yeux. Maintenant...

LEÇON 1

Vivre, c'est vivre l'instant présent. On ne peut pas vivre dans le passé ni le futur : on ne peut qu'y réfléchir, spéculer, ressasser ses regrets, ses espoirs, ses craintes. Pendant ce temps, on n'existe pas. Se rendre régulièrement présent à la richesse de nos instants de vie, c'est vivre davantage. Nous le savons, bien sûr, nous l'avons lu et entendu ; nous l'avons même pensé par nous-mêmes. Mais tout ça, c'est du bla-bla : il faut maintenant le faire, pour de vrai ! Rien ne remplace l'expérience de l'instant présent.

RESPIRER

Tout commence pour nous par le souffle : dans la Genèse, Dieu crée l'homme à partir de la glaise en insufflant dans ses narines une « haleine de vie ». Nous respirons, toute notre existence. Puis nous cessons notre chemin sur cette Terre, et nous rendons notre « dernier souffle ». Car là où nous allons alors, nous n'en aurons plus besoin. Mais ici, il nous accompagne, partout. Le souffle ne nous demande rien : il s'accomplit comme une grâce sans que nous ayons à penser à lui. Il incarne tout ce qui nous est offert par la Vie, et la présence mystérieuse de cette dernière au plus profond de notre corps.

La respiration, au cœur de la méditation

Depuis toujours, la respiration occupe une place centrale dans les pratiques méditatives : c'est le moyen le plus puissant pour se connecter à l'instant présent (ou pour s'apercevoir qu'on a du mal à s'y connecter...). C'est pourquoi un des conseils les plus simples et les plus efficaces que l'on donne aux débutants est de prendre plusieurs fois dans la journée le temps de respirer, seulement respirer, pendant deux ou trois minutes entières.

Il y a plusieurs raisons à cette importance accordée au souffle. Comme il faut que l'objet de la pratique n'endorme pas l'attention, il y a un avantage à se concentrer sur une « cible mouvante » : il est plus facile de fixer son attention, sans la fatiguer à l'excès, sur quelque chose qui reste là mais n'est jamais immobile. C'est pourquoi nous pouvons rester fascinés et éveillés pendant de longs moments devant les vagues de la mer, les flammes du feu ou le passage des nuages : toujours là mais jamais identiques. Il en est de même de notre souffle : toujours présent et toujours mouvant. Aucune respiration n'est exactement semblable à la précédente ni à la suivante. Il y a aussi, bien sûr, la symbolique : le souffle, c'est la vie.

Le souffle est également intéressant parce qu'on peut exercer sur lui un contrôle relatif mais réel, en l'accélérant ou en le ralentissant. Ce qui n'est pas le cas de bien d'autres fonctions automatiques de notre corps : il est ainsi difficile de modifier nos mouvements cardiaques, notre tension artérielle, difficile aussi d'accélérer ou de ralentir notre digestion ! Le travail sur le souffle est utile car il a un impact sur notre ressenti émotionnel.

On peut se pacifier par le souffle. Pas en le contrôlant, mais en se connectant humblement à lui et en l'accompagnant doucement. Faire l'expérience d'accepter une émotion douloureuse en se contentant de respirer tout en l'observant est une grande introduction à la dialectique de la volonté et du lâcher prise, dont nous reparlerons. Lorsqu'on va mal, lorsqu'on souffre de dépression ou d'anxiété, on respire mal. Travailler sur son souffle dans ces moments ne résoudra pas tous les problèmes ni ne supprimera toutes les souffrances ; mais ce sera toujours une forme d'allégement. Pourquoi s'en priver ?

Les leçons du souffle

Les chrétiens connaissent bien le «Lève-toi et marche» de Jésus au paralytique. J'aime parfois imaginer qu'un jour, à un inquiet venu lui demander conseil, Bouddha adressa une parole symétrique : «Arrête-toi et respire.» C'est qu'il y a tant de leçons à recevoir de la part du souffle...

Une leçon de conscience : le souffle est invisible, nous oublions sans cesse sa présence. Mais son rôle est vital, nous avons un besoin absolu de respirer. Et il y a comme cela dans nos vies tant de choses qui nous soutiennent et dont nous n'avons pas conscience.

Une leçon de dépendance et de fragilité : notre besoin de respirer est encore plus net et immédiat que celui de manger, de boire, d'aimer ou d'être aimé, nos autres nourritures. Le souffle nous apprend que nous sommes soutenus par de nombreuses dépendances. Mais ces liens nous construisent et nous nourrissent. L'idée de lien et de dépendance inquiète parfois les anxieux : « Et si tout cela m'était retiré ? Et si un jour je m'arrêtais de respirer ? » Alors, ils cherchent à l'oublier. La solution n'est, bien sûr, pas de refouler cette pensée que notre vie tient à notre souffle. Mais plutôt d'arriver à admettre cette idée, qui est une réalité, en la contemplant souvent, en lui permettant de déambuler librement à l'intérieur de notre esprit. En la rendant familière, pour désamorcer sa charge d'inquiétude.

« LE VENT SOUFFLE OÙ IL VEUT ; TU ENTENDS SA VOIX, MAIS TU NE SAIS NI D'OÙ IL VIENT NI OÙ IL VA. »

Évangile selon Jean

Une leçon de subtilité : le souffle est à la fois dedans et dehors. Il brouille les repères du moi et du non-moi. Repères qui sont souvent des illusions, et parfois des sources de souffrance. Trop s'accrocher à la certitude qu'il y a nous d'un côté, le monde de l'autre n'est pas une bonne chose. C'est pourquoi méditer dans la brise tiède en été représente une expérience savoureuse : au bout d'un moment, il y a une fusion entre notre souffle, au-dedans, et la brise du monde, au-dehors.

Une leçon d'humilité : à la fois volontaire et involontaire, le souffle nous apprend à accepter que nous ne contrôlons pas tout ; ce que notre société nous désapprend volontiers, voulant nous faire croire que tout se contrôle et se maîtrise. Mais le souffle nous apprend aussi à ne pas rester passifs et résignés : il nous montre que l'on peut, tout de même, agir humblement mais efficacement avec ce que nous ne contrôlons pas totalement.

Une leçon de réalité : ce souffle, si important, n'a pas d'identité propre. Il se fait et se défait sans cesse. C'est ce que les bouddhistes appellent la *vacuité* : non que ça n'existe pas, mais ce n'est pas une réalité solide comme nous le pensons, ou à laquelle s'accrocher pour se sécuriser comme nous le souhaiterions. Le souffle est comme le nuage, le vent, la vague ou l'arc-en-ciel : bien réel mais sans permanence, toujours présent mais toujours de passage...

Le souffle est toujours là...

Toujours là, avec nous. Comme une ressource toujours disponible pour prendre conscience, pour se rattacher à l'instant présent en observant, sans chercher à les modifier, les mouvements de ma respiration, dans tout mon corps.

Le souffle, c'est l'ancre de la pleine conscience, qui nous aide à nous amarrer à l'instant présent. Parfois, c'est ce que les marins appellent une ancre flottante : celle qui permet au navire de ralentir et de ne pas chavirer dans la tempête, lorsqu'il n'y a plus aucune manœuvre possible. La respiration est comme une amie toujours disponible. Attention de ne pas lui demander l'impossible : inutile de chercher à respirer pour *ne pas* ressentir (stress, angoisse, peur, tristesse, colère). Mais respirer pour ne pas se faire engloutir. On se centre sur la respiration comme on demande à un ami d'être à nos côtés pour affronter l'épreuve ou la difficulté.

Face à la douleur ? Respirer. Face à la détresse ? Respirer. Au début, ça me paraissait bien limité comme message. Puis, j'ai compris. Le vrai message, le message complet, c'est : «Commencez par respirer ; tout sera plus clair ensuite.» Ce qu'il y aura à faire ou à penser apparaîtra alors avec plus d'évidence. Respirer ne transforme pas la réalité. Mais respirer transforme l'expérience que l'on a de la réalité. Et préserve nos capacités à agir sur cette réalité.

Une fois que nous avons pris l'habitude de pratiquer régulièrement, nous ne respirons plus, nous n'observons plus notre respiration : c'est tout notre corps qui respire, nous sommes dans notre respiration, nous sommes notre respiration même. Ce n'est pas une illusion ou une autosuggestion : nous sommes juste arrivés, par le mouvement de notre conscience, au cœur d'un des mille phénomènes qui font de nous une créature vivante.

Alors, la respiration devient bien plus que la respiration : elle devient une voie privilégiée de communication et d'échange avec tout ce qu'il y a en nous et tout ce qu'il y a autour de nous. Que cela soit douloureux ou délicieux. Car on peut aussi, bien sûr, respirer face à la beauté et à la douceur...

LEÇON 2

On pense souvent qu'on n'a pas grand-chose à faire d'un phénomène aussi familier, ordinaire et automatique que la respiration. Quelle erreur ! Il y a d'énormes bénéfices à prendre conscience de son souffle, à se rendre simplement conscient de sa présence, de toutes les sensations auxquelles il est relié dans notre corps, sans chercher à le modifier. À juste lui prêter attention. Lorsqu'on est heureux et lorsqu'on est malheureux. Sans rien en attendre. Ne pas demander à la respiration de résoudre nos problèmes. Mais comprendre que, lorsque nous n'arrivons pas à les résoudre, mieux vaut mille fois prêter attention à notre souffle qu'à nos ruminations.

HABITER
SON CORPS

Jeux d'enfants, à l'arrière de la voiture,
sur la route des vacances. Deux sœurs
jouent à « Tu préfères » : « Tu préfères
mourir de soif ou de faim ? » « Être une
araignée ou un ver de terre ? », etc.
Il faut bien tuer le temps et se poser les
grandes questions existentielles, sous
une forme ou une autre. Tout à coup
je tends l'oreille. La grande est en train
de demander à la petite : « Tu préfères
ne pas avoir de corps ou ne pas avoir
d'esprit ? » Mais la petite comprend
mal, il faut que la grande lui explique
encore : « Eh bien, pas de corps, ça

veut dire pas manger de glaces,
pas te baigner ; et pas d'esprit, c'est pas
parler, pas penser, tout ça… » Pas une
seconde d'hésitation (alors que c'était
plus dur pour l'araignée ou le ver de
terre) : « Je préfère pas d'esprit, mais
le corps ! » Je souris et je me demande
ce que j'aurais répondu, en pensant
à la boutade de Woody Allen : « L'esprit
et le corps sont-ils séparés, et si oui,
lequel vaut-il mieux choisir ? » Mais en
vérité, il n'y a bien sûr aucun choix
à faire, juste un corps à mieux connaître,
à mieux respecter et à mieux habiter…

Méditer avec le corps

Les non-méditants pensent souvent que la méditation est une pratique seulement psychique. Quelle erreur ! C'est en réalité une pratique éminemment corporelle. Et, après de longues séances de méditation, le corps peut être épuisé, parfois plus encore que l'esprit.

Parmi les pratiques méditatives, la pleine conscience repose notamment sur une expérience respectueuse des sensations corporelles. Il s'agit de se connecter à son corps, de lui prêter conscience et attention. Il ne s'agit pas de *penser* à son corps, de juger ce qui s'y passe, d'essayer de le détendre ou de s'agacer envers lui, mais simplement d'entrer en contact avec lui. De le réintégrer dans le champ de notre esprit, de notre attention, de notre conscience. Sans chercher, dans un premier temps, à modifier quoi que ce soit.

Il y a dans toute approche de la pleine conscience, de nombreux et réguliers exercices autour du corps. Juste prendre conscience de tout notre corps, doucement, partie après partie. Prendre notre corps comme centre de gravité de l'expérience de l'instant présent. Pratiquer des exercices sur la posture, par exemple, tous les matins, prendre dix respirations en se tenant debout le plus droit possible et sans raideur. Prendre conscience de sa posture, la corriger tout doucement, naturellement, pour lui donner dignité et confort, et prendre le temps de sentir ce que cela fait à notre corps. Faire des étirements lents en pleine conscience. Les pratiques sont innombrables...

Ce n'est pas seulement de la gymnastique, mais une voie de connaissance de soi, qui ne passe pas par les mots : peut-être plus grossière, mais aussi plus «première» que l'introspection psychique. Une introspection corporelle, en quelque sorte, tranquille et bienveillante, qui consisterait à se dire doucement : «Prenons un peu le temps de voir, de sentir comment ça va, là-dedans...» Cela peut nous aider, souvent : lorsque nous sommes perdus dans notre tête, lorsque nous sommes confus, le corps ne ment pas et nous informe. Alors bien sûr, pas question de le mépriser, comme le rappelait Nietzsche : «J'ai un mot à dire à ceux qui méprisent le corps. Je ne leur demande pas de changer d'avis ni de doctrine, mais de se défaire de leur propre corps ; ce qui les rendra muets.» Parfois, ce n'est pas du mépris mais de l'oubli : nous l'oublions, notre corps, nous nous prenons pour de purs esprits. Et nous le traitons comme un outil : nous en attendons le silence

« LE MIRACLE, C'EST DE MARCHER SUR LA TERRE. »

Thich Nhat Hanh, *Il n'y a ni mort ni peur*

(la santé), la jouissance (des organes et des sens), l'obéissance (pour nous transporter et nous servir). C'est déjà bien. Déjà beaucoup. Mais il peut bien plus pour nous...

Le corps : porte d'entrée de l'esprit

Le corps et l'esprit : ces deux-là sont indissociables, ne se lâchent jamais. Les apaisements de l'un jouent sur l'autre, les emballements aussi. On agite souvent la légende du dualisme cartésien, corps et esprit comme deux entités séparées, mais Descartes n'a jamais dit ça. Personne d'ailleurs ne l'a dit comme ça. La dualité exprime juste une hiérarchie, une conviction sur les rapports de force : lequel peut se faire obéir de l'autre ? Nous pensons en général que l'esprit doit se montrer plus fort que le corps. Mais c'est comme dans un couple : cela dépend des moments, des domaines, cela change et évolue. Et c'est parfait ainsi.

Le corps et l'esprit, ce n'est ni la même chose, ni deux choses séparées : ce sont deux réalités différentes mais très étroitement connectées. Avoir conscience de ces connexions peut énormément nous apprendre. C'est cela, faire l'expérience de son corps ; ce n'est pas se dire rapidement et vaguement : « Oui, oui, j'ai un corps et c'est important d'en prendre soin. » Mais c'est, aussi souvent que possible, s'arrêter et éprouver ce qui se passe juste à cet instant en nous. Se connecter à lui. L'éprouver, le ressentir délibérément, subtilement, respectueusement. Et pas seulement lorsqu'il nous fait souffrir ou jouir.

Apprendre à lire nos sensations, leur prêter attention : elles sont le tableau de bord qui témoigne de l'équilibre ou du déséquilibre de notre âme. Parfois, en permettant à notre corps d'exister à notre esprit, nous éprouvons des sensations étranges : comme si on sortait de son corps, comme s'il flottait, ou comme s'il était très lourd, ou qu'il se déformait. Parfois aussi on sent arriver du désagréable : on prend alors conscience de tensions ou de douleurs que l'on fuyait dans des distractions, des occupations, des ruminations portant sur des sujets extérieurs. En cela, la méditation diffère de la relaxation : son but n'est pas seulement, ou pas prioritairement, de nous faire du bien ou de nous conduire à la détente, mais simplement d'être conscients de ce qui se passe en nous. Et parfois, ce qui se passe en nous est douloureux. Mais la pleine conscience nous recommande de l'accepter et de l'observer, d'accueillir ces douleurs plutôt que de les fuir.

Bienfaits et réparations

On le sait depuis longtemps : quand on fait du bien à son corps, on fait du bien à son esprit.

Activité physique, détente et relaxation, mais aussi sourires, postures droites et dignes retentissent sur notre mental. Cet effet est discret et cumulatif : inutile d'en espérer un bénéfice spectaculaire ou immédiat. Il est aussi imprévisible. C'est pourquoi, dans la pleine conscience, on recommande de ne pas «vouloir» : ne pas vouloir se détendre, ne pas vouloir se faire du bien, ne pas vouloir atteindre un état précis. En tout cas, pas au moment de la méditation. Dans ce moment, ne rien espérer ni viser, mais juste s'ouvrir à ce qui existe, être là, l'accueillir à notre conscience. Rien de plus. Le maître mot est alors «permettre». Et «faciliter»...

Faciliter, car les chercheurs ont le sentiment, depuis quelques années, que le corps a des capacités d'autoréparation (attention, ce ne sont pas des garanties de santé ou d'immortalité) facilitées par les douceurs et les bonheurs qu'on lui propose, mais aussi par le simple fait de lui laisser de l'espace mental, de l'écouter en lui permettant de s'exprimer. La méditation semble avoir un effet de frein sur le vieillissement cellulaire, en agissant sur les télomères, ces petits capuchons qui se trouvent à l'extrémité de nos chromosomes.

Donner régulièrement de l'espace à notre expérience des sensations corporelles est sans doute bénéfique à notre santé. C'est pourquoi la pratique de la pleine conscience recommande cet exercice qui consiste à passer régulièrement en revue toutes les parties de notre corps, tranquillement, doucement. Un peu comme si on marchait sur les chemins d'une forêt, pour ramasser les branches mortes, pour vérifier que tout est bien, on parcourt ainsi les chemins de son corps. Même si ce corps est malade, souffrant, abîmé, usé; on lui donne, de notre mieux, ici et maintenant, attention, estime, espace et affection.

Dans l'attente, tranquille et lointaine, que ce corps, tel qu'il est, d'accepté devienne pacifié; et que ce corps pacifié permette un esprit éclairé...

LEÇON 3

C'est drôle comme la plupart d'entre nous avons tendance soit à oublier notre corps, soit à s'en inquiéter, passant du déni lorsque nous allons bien à l'hypocondrie lorsque nous allons mal. La pleine conscience nous recommande simplement de lui rendre régulièrement des visites amicales : se reconnecter à nos sensations, faire un état des lieux, le passer tranquillement en revue, en nous endormant, en nous éveillant, lors des moments où nous avons quelque répit. Voir ce qui s'y passe, sans chercher, là encore, à résoudre ou à soulager. Juste observer. Et cela sera déjà un premier et immense bénéfice : donner sa juste place à notre corps, au sein de notre conscience.

FERMER LES YEUX ET ÉCOUTER

Tu aimes bien les soirs d'été.
Pas seulement pour les beaux couchers
de soleil, mais pour la rumeur joyeuse
qui les habite. Tu vas t'asseoir dehors,
et tu fermes les yeux. Tu écoutes
tout ce qui passe. Au loin, il y a
les cris des enfants qui jouent, et les
appels au calme de leurs mères. Il y
a le vent qui fait doucement bruisser
les feuilles des arbres. Le chant des
oiseaux. Peut-être un ou deux chiens
qui aboient. Parfois, une voiture passe,
et son bourdonnement monte dans
le paysage sonore. Puis le bruit du

moteur diminue. On l'entend
encore un peu dans le lointain.
Et au bout d'un moment, plus rien,
juste le souvenir de son passage.
À quel moment exactement as-tu
cessé de l'entendre ? Pendant combien
de temps ton esprit a-t-il alors oublié
tout le reste ? Doucement, voilà
qu'émergent à nouveau, au premier
plan de ta conscience, le bruit
des enfants, des mamans, du vent
et des oiseaux. Et peut-être d'un
ou deux chiens, qui continuent
d'aboyer au loin.

Toutes sortes de sons

Les bruits, les sons, la musique : quelles différences ? Un bruit, c'est tout ce qui touche notre oreille, toute sensation auditive. Un son, c'est un bruit qui a du sens (le son d'une voix ou le son d'une cloche), un bruit organisé, identifié, analysé par notre esprit. Une musique, c'est un ensemble de sons complexes, superposés, harmonieux.

Nous baignons dans un univers sonore permanent, dont nous ne prenons conscience que par moments. Les preneurs de son, au cinéma ou à la radio, savent recréer ces ambiances, humaines – marché en plein air, bistrot, bureau – ou naturelles – bord de mer, forêt en automne... En les écoutant avec attention, on réalise alors la complexité et la beauté, parfois, de ces univers sonores. Nous avons besoin de ces sons, notamment des vrais sons de la vie, de la nature. Ils sont la nourriture *bio* de nos oreilles. La mer, la montagne, la campagne nous les offrent. C'est pourquoi leur pouvoir pacifiant est grand sur nous : ce sont les très vieux sons de nos racines animales.

Entendre, écouter, penser...

Entendre : lorsque nous entendons, nous sommes dans une attitude de réceptivité, une attitude «passive» ou, plutôt, non interventionniste. Écouter : dans l'écoute, notre attention est mobilisée, et volontairement portée sur les bruits et les sons, sur leur analyse.

Alors, c'est l'enclenchement de la réflexion et des pensées : en fait, on *entend* le bruit d'une ambulance et, tout de suite, on l'*écoute* en lui donnant du sens, parfois inconsciemment : on *pense*, par exemple, qu'il y a eu un accident, ou une personne très malade, et on peut ressentir de la compassion, de l'inquiétude ou de la tristesse.

On *entend* des pas dans l'appartement au-dessus de chez nous, alors on *écoute* un peu mieux et on cherche à *reconnaître* le son de cette démarche ; on visualise peut-être une personne précise (une femme si c'est un bruit de talons hauts, ou quelqu'un qu'on connaît et qui a l'habitude de marcher ainsi). Parfois, on émet un jugement de valeur, et on aime ou on n'aime pas ce son, on se met à penser à tout ce qu'il signifie... Cette production de pensées, à partir des bruits et des sons, nous enrichit et nous appauvrit à la fois : le sens que nous donnons aux sons entre en compétition avec notre présence au monde.

Dès que nous produisons des mots, nous avons tendance à quitter l'expérience sensible. Alors, on n'est plus dans l'univers sonore, on l'a quitté pour notre univers mental. Ce n'est pas grave, et c'est parfois nécessaire, ou même vital : ressentir n'est pas toujours suffisant, il faut aussi comprendre. Mais, comme pour tous les mouvements automatiques de notre esprit, il est important de se rendre compte de ce qui a lieu en nous. Important aussi de faire régulièrement l'effort de s'affranchir de ces automatismes. Et de revenir à l'écoute neutre et accueillante de la vie. À l'écoute en pleine conscience, qui parfois nous permettra d'accéder à l'inouï. L'*inouï*, qui veut dire «ce qu'on n'a jamais entendu». Parce qu'on ne l'a jamais vraiment écouté...

L'accueil serein des sons

Lorsqu'on travaille sur les sons, en pleine conscience, on s'efforce de tout accueillir. De lutter contre la tentation permanente de filtrer («Zut, c'est distrayant ce bruit, je vais essayer de ne pas y penser») et de juger («C'est pénible ces gens qui font chauffer leur moteur à grands coups d'accélérateur»). La pleine conscience, ce n'est pas de la relaxation (où l'on a besoin du silence ou du calme) mais de la méditation (où il s'agit de cultiver un rapport apaisé au monde): on peut pratiquer avec des bruits autour de nous. Même si ce n'est pas ce que l'on préfère, on doit savoir le faire.

Dans la pleine conscience, on s'entraîne souvent à simplement prêter attention aux sons, à l'essentiel des sons: sont-ils loin ou près, aigus ou graves, continus ou intermittents, y a-t-il des moments de silence, des intervalles? On s'efforce d'observer et d'accueillir leurs caractéristiques premières, de les prendre pour ce qu'ils sont.

Bien sûr, notre esprit partira naturellement vers l'interprétation des sons («C'est le bruit de ceci ou de cela»), le jugement («C'est agréable ou déplaisant»), les enchaînements de pensée qui en découlent («Cela me fait songer à...», «Cela me rappelle que...»). C'est normal, inutile de s'en agacer, car c'est ainsi, toujours, que l'esprit fait : juger et entourer de bavardage nos expériences et nos sensations. Ce n'est pas grave, si on en est conscient : travailler sur les sons, c'est observer en soi la différence entre les sons et leur sens. Et revenir alors à l'écoute simple : prendre le son pour le son. Les pensées reviennent toujours ? C'est normal, c'est parfait. Cela nous apprend à comprendre les mouvements de notre esprit. Les pensées nous laissent tranquilles ? Parfait aussi. Cela nous apprend à savourer le goût du son...

Souvent, lorsque nous pratiquons en groupe à l'hôpital, il arrive que le portable d'un des patients sonne. Sans arrêter la séance, je donne alors la consigne suivante : «C'est une merveilleuse occasion. Restons dans l'exercice, gardons nos yeux fermés, accueillons cette sonnerie, percevons ce qu'elle induit chez nous comme pensées : "C'est agaçant" ; "Son propriétaire doit être gêné" ; "Ce n'est pas poli" ; "Est-ce que le mien est bien éteint ?" Observons tranquillement, en souriant, tout ce que cette sonnerie a fait naître en nous...» De même, lorsqu'un participant arrive en retard à la séance pendant un exercice : nous gardons les yeux clos, l'écoutons s'installer et nous amusons à noter les bruits qu'il fait, et les pensées que cela amorce en nous. Cette position d'observateur apaisé est le cœur même de la pratique de la pleine conscience.

Silence

Le silence est aux bruits ce que l'ombre est à la lumière, ou le sommeil à la veille : une autre face, indispensable. L'envahissement permanent du bruit est toxique, il participe à l'accumulation d'excitations que nous impose la vie dite « moderne ». Même s'il est intéressant (les infos en continu à la radio), même s'il est harmonieux (la musique partout), sa présence constante nous fatigue, nous affaiblit, empêche notre esprit de respirer, puis de fonctionner, comme une sorte de bavardage constant qui prendrait la place de notre pensée.

Alors, il faut se rappeler la puissance du silence, caisse de résonance des bruits de la vie. Pas forcément le silence complet, mais sa présence entre les

« J'ÉCOUTE LE CHANT
DE L'OISEAU NON POUR
SA VOIX, MAIS POUR
LE SILENCE QUI SUIT. »

Yone Noguchi, Sources de sagesse orientale

sons, entre les moments où le bruit est inévitable (un trajet en ville) ou souhaitable (les discussions et la musique d'une soirée de fête). Les temps de silence sont comme des respirations, des parenthèses : des mises en valeur des sons que nous aimons, et des soulagements de ceux qui nous indisposent.

Puissance du silence et de son cousin, le calme. Qui n'est pas l'absence de bruits mais de paroles inutiles, d'interventions artificielles. Inutile de parler pour « meubler le silence » : il n'a besoin d'aucun meuble. Le silence et le calme nous permettent simplement d'entendre et d'écouter toutes les musiques de la vie.

LEÇON 4

S'arrêter, fermer les yeux, et écouter. Accueillir tous les sons. Autour de nous, les agréables (un oiseau qui chante) et les désagréables (un moteur qui ronfle) ; en nous, les apaisants (notre respiration) et les dérangeants (acouphènes ou gargouillements). Le but de ces moments de pleine conscience auditive n'est pas de nous faire du bien, pas directement, mais de nous faire prendre conscience de l'existence de ce bain sonore, et de ce qu'il déclenche en nous : émotions, pensées ou impulsions. Entraînement de l'esprit à partir de tous les sons de la vie.

OBSERVER
SES PENSÉES

Tu te promènes dans la forêt et
soudain, l'envie de t'arrêter. Du coup,
arrêté aussi le froissement des feuilles
mortes écrasées sous tes pas, arrêté
ce bruit qui berçait ta balade. Tu es là,
devant une grande flaque ; tu te dis
qu'il a beaucoup plu ces derniers jours,
la terre n'arrive plus à accueillir toutes
les eaux tombées du ciel ; alors elle
les fait attendre à la surface, comme
un hôtelier débordé fait patienter ses
clients. Mais non, tu ne *dis* pas, tu ne te
dis rien. C'est ton mental qui bavarde
tout seul. Toi, tu ne fais qu'écouter et
prendre conscience de ce bavardage :
« C'est beau, ces couleurs », « Il y en a
qui sont déjà pourries », « Est-ce que
je vais abîmer mes chaussures si je
marche dans l'eau ? », « Je faisais ça
quand j'étais petit, mais j'avais des bottes
en caoutchouc », « Quelle heure peut-
il bien être ? », « Un jour je serai mort

LES IMPRESSIONS

460067

LEZAR
Siret : 32550650900018

DINARD Le 13/12/2016 16:00:44

Ticket N° 399216

Client : MIGNOT charles

1	ESPIONNAGE INTIME GRA	12.80
1	A LA PLACE DU COEUR	16.00
1	JE MEDITE JOUR APRES J	14.90

Net TTC Euro		43.70
Total HT =	41.42	
TVA 5.50 % =	2.28	
Total TVA =	2.28	

REGLEMENTS

Carte Bancaire   43.70

Merci et bonne lecture

comme ces feuilles », « J'ai bien fait de prendre mon gros manteau, il fait froid, l'hiver est arrivé tôt cette année »…

Puis doucement, ça se calme, cette bousculade de pensées. Tu ressens ta respiration, tu perçois ton cœur. Ton attention se pose sur une des feuilles, à demi pourrie. Tu la regardes, ou plutôt tu la vois. Tu vois aussi toutes les autres. Plus envie de bouger. Juste rester là, en animal. De temps en temps, de nouvelles pensées traversent ton esprit. Tu les entends, comme tu vois les feuilles : présence et recul. Une pensée chuchote : « Tes pensées sont comme ces feuilles, il y en a beaucoup, dans tous les sens, laisse-les aller et venir, comme ça ; c'est parfait ; cet instant est parfait ; tu n'as rien à attendre de plus que ce que tu es en train de vivre ici et maintenant. » Puis, silence des pensées. Puis, bouffée d'éternité.

Le bavardage de notre esprit

Notre cerveau est une extraordinaire machine à produire des pensées. Extraordinaire mais très difficile à arrêter. Dès que nous nous réveillons, la production de pensées commence. Sénèque parle, dans son traité *De la tranquillité de l'âme*, du «tourbillonnement de l'âme qui ne se fixe à rien...» Dès le matin, se réveiller c'est commencer à penser, ou plutôt à être assailli par un flot de pensées. Qui nous parlent de tout : du passé, du futur. Moins souvent du présent.

Et de fait, ce que nous appelons penser ou réfléchir, ce n'est pas *produire* des pensées (ce mouvement existe en dehors de notre volonté ou de notre intervention) mais trier ses pensées, les organiser, les hiérarchiser, essayer de se focaliser sur quelques-unes, de les développer, tout en essayant d'en écarter d'autres. Voilà pourquoi il est vain d'espérer que la méditation nous conduise rapidement et sur commande à une sorte de silence de l'esprit, à une absence de pensées. Cela se produit parfois, mais c'est par intervalles, par moments. Puis le bavardage reprend.

«La conscience règne mais ne gouverne pas», disait Paul Valéry. J'ai toujours aimé cette phrase, qui me semble dire l'essentiel : la différence entre la puissance et la toute-puissance. Matthieu Ricard compare, dans la tradition bouddhiste, le flot de nos pensées à une troupe de singes qui s'agitent et piaillent sans cesse, sautant d'une branche à une autre, toujours en mouvement. Quel tumulte! Et quel risque de confusion! Que faire? Ce mouvement est impossible à stopper, difficile à contrôler. Et le risque, c'est qu'on remplace alors cette dispersion par de la concentration sur une seule pensée: c'est ce qui s'appelle une obsession, et ce n'est guère mieux. Autre risque, celui de la distraction: on remplit notre esprit d'autre chose, quelque chose de facile, d'extérieur, de canalisé, d'assez fort pour capter notre attention. Et du coup, on arrête ce bavardage. Remplissage contre bavardage. Pourquoi pas? Mais on peut aussi développer d'autres voies.

Dans la pleine conscience, nous allons ainsi renoncer à vouloir arrêter ou fuir le flot de nos pensées, et choisir plutôt de l'observer. En faisant une sorte de pas de côté: penser et se voir penser. Le zen propose la métaphore de la cascade: on est entre la chute d'eau (le flot de nos pensées) et la paroi du rocher. Légèrement décalé, on s'observe penser; on n'est plus sous le flot (distance), mais on n'en est pas loin (présence). On utilise ainsi nos capacités de conscience réflexive, qui consistent à s'observer soi-même. Mais peut-on vraiment s'observer penser? La psychologie à la première personne, introspective ou phénoménologique, a longtemps été déconsidérée: comment prétendre être juge et partie? «On ne peut pas, disait Auguste Comte, se mettre

à la fenêtre pour se regarder passer dans la rue.»
En matière de conscience, c'est pourtant possible :
il faut juste beaucoup, beaucoup d'entraînement...

Regarder passer ses pensées...

Comme toujours, dans la pleine conscience, on
renonce à l'action frontale et brutale. Inutile de
chercher à supprimer ses pensées ; on provoquera
souvent, au contraire, un effet de rebond. Et difficile aussi de se dire : «Tiens, je vais observer mes
pensées» ; on aura souvent l'impression qu'il n'y en
a pas. Mais c'est parce que nous avons trop le nez
dedans : nous sommes tellement *dans* nos pensées,
nous *sommes* tellement nos pensées qu'on les prend
pour la réalité.

La pleine conscience nous dit juste ceci : inutile
de chercher à bloquer nos pensées, inutile de chercher à chercher nos pensées, mieux vaut élargir
notre esprit.

Alors, on commence par autre chose, par se
caler, s'ancrer, se centrer sur l'instant présent : grâce
à la respiration, à l'écoute des sons, à la perception
de ses sensations corporelles. On est déjà dans une
meilleure attitude pour observer le mouvement de
ses pensées. Pendant qu'on s'occupe d'autre chose,
par exemple de se centrer sur l'expérience de sa
respiration, à un moment, on voit qu'on s'est laissé
embarquer : on était dans la respiration, et hop ! on

s'est mis à «penser à autre chose», on a suivi une pensée qui passait. Sans s'en rendre compte ; on ne le réalise qu'après-coup.

Avec un peu d'entraînement, on repère aussi les pensées aux ordres qu'elles nous donnent lorsqu'on tente de prendre de la distance par rapport à elles. Alors qu'on fait un exercice de pleine conscience dans lequel on essaye de juste être là, présent à ses mouvements respiratoires, aux sons qui nous arrivent, tout à coup, une impulsion, une envie, un ordre : «Arrête, ouvre les yeux, fais tel ou tel truc, plus urgent, plus important...» Si on résiste, nos pensées insistent : «Fais-le *maintenant*, sinon tu vas oublier!» Nous croyons que c'est *nous* qui voulons cela, que nous en avons *besoin* ; mais ce n'est pas si sûr.

La preuve : en n'obéissant pas tout de suite, de manière réflexe, à ces ordres déguisés en envies, en impulsions, en nécessités, nous nous apercevons souvent qu'ils sont discutables, évitables. Ces ordres sont, par exemple : «Gratte-toi le nez», «Ouvre les yeux pour voir quelle heure il est», «Note de penser à téléphoner à ton frère...» Nous pouvons désobéir ou différer, mais seulement si nous sommes conscients que ces intrusions ne sont que des pensées...

Au début, on identifie ces pensées au moment où elles ont entraîné notre esprit hors de l'exercice : on n'est plus dans sa respiration ou son corps, mais en train de «penser à un truc». C'est normal, c'est comme ça que l'esprit fait, tout le temps. Alors, sans s'agacer, on revient à l'exercice ; puis les pensées reviennent ; on s'en aperçoit, et on revient à l'exercice, etc. Ces mouvements sont la base même de l'entraînement à la pleine conscience. Les pensées ne sont pas un problème, le problème, c'est de ne pas être conscient de la dispersion, de l'agitation mentale, et surtout de la confusion (entre pensées et réalité), et de l'adhésion (prendre *toutes* ses pensées au sérieux). Le problème, ce n'est pas tant le contenu ou le mouvement des pensées, que le rapport que nous avons avec elles. Ne pas vouloir

« IL EST DEUX PROCESSUS QUE LES ÊTRES HUMAINS NE SAURAIENT ARRÊTER, AUSSI LONGTEMPS QU'ILS VIVENT : RESPIRER ET PENSER. EN VÉRITÉ, NOUS SOMMES CAPABLES DE RETENIR NOTRE RESPIRATION PLUS LONGTEMPS QUE NOUS NE POUVONS NOUS ABSTENIR DE PENSER. À LA RÉFLEXION, CETTE INCAPACITÉ À ARRÊTER LA PENSÉE, À CESSER DE PENSER, EST UNE TERRIFIANTE CONTRAINTE. »

George Steiner, *Dix raisons (possibles) à la tristesse de pensée* les empêcher, ne pas chercher à les chasser, donc. Mais ne pas non plus les suivre, leur obéir, se résigner à les subir. Les accueillir et les observer dans le cadre d'une conscience élargie (d'où l'importance de s'ancrer dans l'instant présent par le souffle, le corps, les sons). Et simplement cesser de les nourrir.

Peu à peu, avec de l'entraînement, on voit de mieux en mieux ses pensées être juste des pensées : on les identifie mieux comme des phénomènes mentaux transitoires, et non plus comme des certitudes durables. On les voit apparaître ; et souvent, si on ne les suit pas, on les voit se dissoudre. Puis revenir. Puis repartir. En *faire l'expérience* vécue représente un apprentissage bien plus puissant que simplement le *savoir* : nous savons que nos pensées ne sont que des pensées mais, lorsqu'elles nous embarquent, ce savoir ne nous sert plus guère. Seules la pratique régulière et l'expérience peuvent nous aider à cette prise de distance envers le mental, à cette habitude de laisser nos pensées se dissoudre d'elles-mêmes.

En pleine conscience, c'est nous qui décidons si nous suivons nos pensées – pourquoi pas ? – ou si nous choisissons autre chose. Choisir, par exemple, de rester assis, les yeux fermés, à respirer, ici et maintenant, dans le flot des pensées qui nous disent «Bouge», «Fais», «Pense», «Remue». Et qui s'énervent, et qui montent le ton : «Avec toutes les choses urgentes que tu as à faire, tu ne crois

pas que tu pourrais quitter cet exercice? Tu y re-
viendras plus tard…» Mais non, on a décidé de ne
pas obéir à ces pensées. On attend un peu, on veut
juste voir si c'est vraiment nécessaire d'aller dans
ces directions, si c'est vraiment important. On respire encore quelques minutes, et l'étau se desserre.
Comme c'est agréable de ne plus être un esclave du
mental, comme on est content de retrouver un tout
petit peu de liberté…

Se libérer de ses pensées

«Je pense donc je suis», proclamait Descartes.
Paul Valéry ajoutait : «Parfois je pense ; et parfois je
suis.» Et la pleine conscience conclut : «Je ne suis
pas seulement ce que je pense.» Avec les deux sens :
«je suis» au sens d'«aller derrière», et «je suis» au
sens d'«être». C'est ce qu'on appelle la «défusion»
dans les psychothérapies cognitives : s'efforcer de
diminuer la confusion entre mes pensées et ma
conscience. Comprendre que mes pensées ne sont
qu'un des éléments de ma conscience, et non ma
conscience tout entière. Ne plus dépendre de mes
pensées, sans pour autant les refuser : simplement
entrer dans une relation différente avec elles.

Ce n'est pas la même chose de se dire «Ma vie
est triste» et «Je suis en train de penser que ma vie
est triste». En identifiant mes pensées comme des
phénomènes de l'esprit, je verrai mieux que, dans

ces dernières, se nichent beaucoup de jugements de valeur, d'automatismes, d'impulsions, avec lesquels je n'ai pas forcément à être d'accord. Cette expérience un peu étrange de se dissocier de son propre mental, cet effort de se servir de son esprit pour ne plus être piégé par lui, c'est ce que propose la pleine conscience. Elle m'apprend à ouvrir un espace de réflexion, à cultiver une expérience de mise à distance et d'observation. Elle m'aide à faire la différence, comme au cours d'une soirée, entre le bruit de fond et la conversation qui m'intéresse. Ou à choisir finalement de sortir, de quitter le tumulte et d'aller écouter la rumeur la nuit...

LEÇON 5

Fermer les yeux et placer son souffle au centre de l'attention. Puis noter comment, très vite, l'esprit s'en va, ou plutôt comment nos pensées se replacent au centre de notre attention, tels des enfants capricieux. Pensées sur des choses à faire, pensées sur notre difficulté à rester dans l'exercice. Nous y sommes : le travail de la pleine conscience sur les pensées consiste simplement à prendre conscience du bavardage irrépressible de l'esprit. Et conscience de son pouvoir d'attraction : à un moment, nous n'observerons plus nos pensées, mais nous serons dedans, embarqués. Alors, revenir tranquillement au souffle, puis à l'observation des pensées. Peu à peu, la différence entre « penser quelque chose » et « s'apercevoir que l'on pense quelque chose » deviendra une évidence. C'est ce qu'on appelle la lucidité, et ça nécessite un travail régulier.

DONNER
UN ESPACE
À SES ÉMOTIONS

D'après ce qu'il nous en raconte dans ses *Essais*, Montaigne n'était pas facile à énerver. Il écrivait ainsi : «Quand on me contrarie, on éveille mon attention, non pas ma colère : je m'avance vers celui qui me contredit, qui m'instruit.» C'est une forme d'idéal de l'intelligence émotionnelle : accepter et observer ses émotions, les considérer comme des informations précieuses, sur la situation en cours ou sur nous-mêmes. Dans le cas de Montaigne, ce qui l'intéressait, ce n'était pas en premier lieu de savoir qui avait raison, mais ce qu'il pouvait apprendre de son contradicteur : soit des informations, peut-être fondées, sur ses erreurs de jugement ; soit la manière, peut-être erronée, dont son interlocuteur comprenait ses propos. Nos émotions ne sont jamais absurdes, et toujours pleines de sens. Mais souvent douloureuses et confuses. Que faire ? Se souvenir de Montaigne : ni les fuir ni leur obéir, mais les accueillir et les examiner dans l'espace apaisé de la pleine conscience.

L'expérience émotionnelle

Nos émotions ne parlent pas, mais elles s'expriment. Par des sensations corporelles, des comportements, des pensées automatiques, radicales et simplifiées.

Et de même, pour les calmer et les apaiser, les mots ne suffisent pas, en général. Il faudra passer par le corps (respirer), les comportements (marcher si on est triste ou inquiet, s'allonger si on est en colère). Il s'agit d'une des démarches les plus difficiles de la vie psychique : prendre de la distance envers des pensées chargées, saturées d'émotions, qu'on ne peut guère empêcher ou expulser. On pense aujourd'hui que cette nécessaire distance, il est plus facile de la mettre en place en accueillant et en observant nos états émotionnels plutôt qu'en s'acharnant à les supprimer. Et plutôt, bien évidemment, qu'en leur obéissant. L'expérience de nos oscillations émotionnelles est donc une épreuve d'humilité et de réalisme : elles sont souvent, du moins au départ, plus puissantes que nous. De manière franche, dans le cas des émotions fortes, ou de manière indirecte, dans le cas des humeurs et états d'âme, leurs formes subtiles. La Rochefoucauld notait ainsi : « Les humeurs ont un cours qui tourne imperceptiblement notre volonté ; elles roulent ensemble et exercent successivement un empire secret en nous, de sorte qu'elles ont une part considérable à toutes nos actions, sans que nous le puissions connaître. »

Le désordre émotionnel

L'expérience de ce que nous éprouvons émotionnellement n'est ni toujours agréable, ni toujours déchiffrable. Certes, le désordre des émotions peut parfois être fécond, mais il peut aussi conduire à la plus grande confusion.

Alors, nous pouvons éprouver la tentation de la fuite, dans l'action ou la distraction. Il y a aussi la tentation de l'hypercontrôle : interdire aux émotions douloureuses d'être là, s'interdire de les ressentir. Ce qui est logique mais problématique : en procédant ainsi, en essayant de nous couper de nos sensations et de nos ressentis, nous nous exposons à ce que les neurologues appellent une « désafférentation », et donc à une amputation de notre intelligence émotionnelle. J'ai souvent vu des patients hypersensibles avoir opéré depuis des années une sorte de glaciation de leurs mouvements émotionnels, trop pénibles pour eux. Et l'appauvrissement qui s'ensuit, comme dans le cas du *permafrost*, cette couche de terre toujours gelée, sous les glaces des régions extrêmes, et sur laquelle rien ne peut évidemment pousser. Leur existence et leur sensibilité sont figées par l'excès de protection...

La clarté émotionnelle : accepter de ressentir

La pleine conscience va à l'encontre de notre tendance naturelle à retenir l'agréable et à repousser le désagréable. C'est pour cela que les séances et les exercices ne sont pas toujours des moments confortables (encore une différence avec la relaxation).

Dans la pleine conscience, on accueille les ressentis émotionnels négatifs ou douloureux, on leur permet simplement d'être là. Ainsi, plutôt que de vouloir chasser sa tristesse ou résoudre son inquiétude, on commence d'abord par accepter leur présence. Ce qui ne signifie pas accepter leurs messages et leurs injonctions : permettre à sa tristesse ou à l'inquiétude d'être là, c'est constater que nous sommes tristes mais pas forcément croire tout ce que nous chuchote la tristesse («Cette vie ne vaut guère la peine, à quoi bon agir?») ou l'inquiétude («Il y a un danger, tu dois vite agir et trouver des solutions»).

Les patients anxieux ou déprimés n'aiment pas qu'on leur dise de commencer par permettre à leurs affects d'être là. Ça les scandalise un peu : «J'ai toujours essayé de faire le contraire, de ne pas souffrir.» Et ça leur fait peur : «Si j'ouvre les vannes, si je baisse la garde, je vais me faire engloutir par la souffrance.» Mais non, rassurez-vous, ça ne se passera pas ainsi. Nos émotions négatives sont comme des animaux (ou des humains) que l'on voudrait calmer : plus on se jette sur elles pour les repousser, les ligoter ou les enfermer, plus elles se débattent et peuvent nous faire mal.

Nous avons plutôt intérêt à créer un espace autour d'elles pour leur permettre d'exister. Et pour nous permettre alors de les observer : dans quel état mettent-elles mon corps ? Quelles pensées induisent-elles ? Vers quoi me poussent-elles ? Ainsi, on n'est pas dans l'émotion, mais dans l'expérience de l'émotion : accueillir pour moins subir. Cela pourra parfois suffire à nous apaiser, et nous permettre alors de décider que faire.

Les émotions sont les moteurs des pensées négatives, ce sont elles qui leur donnent toute leur force, les solidifient. Accepter mes émotions, c'est désamorcer leur pouvoir sur les pensées qu'elles poussent devant elles pour avancer masquées. Je pourrai plus facilement réfléchir à mes pensées de colère si j'ai reconnu et accepté ma colère ; plus facilement réfléchir à mes inquiétudes si j'ai reconnu et accepté mon angoisse. Alors que, si j'en reste

« TOUT REPOSE SUR QUELQUES IDÉES QUI SE FONT CRAINDRE ET QU'ON NE PEUT REGARDER EN FACE. »

Paul Valéry, *Tel quel*

à « Mais non, je ne suis pas en colère, c'est ce qui se passe qui n'est pas acceptable » ou à « Mais non, je ne suis pas inquiet, c'est la réalité qui est menaçante », ce travail sur les pensées ne se fera pas. Puisqu'elles sont, pour mon esprit, non pas pensées mais réalités et évidences. Qui serait assez fou pour contester la réalité et l'évidence ?

Prendre le temps de ressentir

Alors, nous allons devoir travailler sur nos émotions. Non pour les empêcher, mais pour les observer. Par exemple, plusieurs fois dans la journée, entre deux activités, au lieu de passer de l'une à l'autre, stressés et pressés : prendre le temps de ressentir ce qui se passe en nous, se connecter doucement à notre état émotionnel. Ou bien lors des moments d'attente : en profiter pour prendre conscience de soi. Au lieu de vivre ces instants en pleine inconscience, mentalement absents, coupés de nous-mêmes, l'esprit ailleurs car tourné vers des actions ou des ruminations.

D'abord au calme et au repos, donc, cette habitude de l'introspection tranquille et curieuse. Puis, lorsque nous sommes dans la douleur : tristes, énervés, inquiets, malheureux... Ne pas chercher alors à modifier ce que nous ressentons, ne pas chercher à nous consoler ou à nous calmer. Pas tout de suite. Juste nous rendre présents à ce que nous éprouvons.

Bien respirer, ne rien «vouloir» d'autre que s'attacher à respirer en observant ce qui se passe. La respiration, la présence, la pleine conscience, c'est un peu comme une lampe dans les ténèbres : nous pouvons voir où nous sommes, même si c'est toujours la nuit. Et parfois, ce sera étonnant ; en acceptant nos émotions douloureuses, en consentant à les traverser, nous découvrirons que cela se passe comme lorsqu'on traverse un nuage : finalement, il n'y avait rien dedans de bien solide. Et à la sortie, voilà le soleil qui brille à nouveau...

La pleine conscience des émotions

Nos émotions, même désagréables, ne sont pas les «mauvaises herbes» de notre esprit. Elles font partie de notre écologie psychique. Commencer par les accepter n'est possible et viable que si, par ailleurs, nous sommes conscients d'elles et de leurs mécanismes d'influence, puissants ou subtils. Les émotions tendent naturellement à s'imposer à nous ; c'est sur leur influence que nous devons agir, pas sur leur présence. D'ailleurs, le but de ce que l'on nomme en psychologie la «régulation émotionnelle» n'est pas le vide, le zen ou le calme. En tout cas, pas tout de suite, ou pas directement. Le but, c'est la conscience, la clarté.

Il y a ainsi dans la pleine conscience deux «compétences» fondamentales pour progresser sur la voie de l'équilibre émotionnel : la première consiste à créer un espace intérieur pour permettre l'expérience de l'instant présent ; la seconde, à commencer par accueillir cette expérience telle qu'elle est, à la laisser exister. Pour dépasser une souffrance ou un inconfort, il faut d'abord avoir admis qu'ils existent en nous. On ne peut quitter un endroit où l'on n'a jamais accepté d'arriver : et on ne peut se libérer d'une souffrance qu'on n'a jamais accepté de reconnaître...

C'est seulement comme ça que, dans les moments de détresse émotionnelle, nous pourrons écouter et croire nos propres paroles de réconfort : se dire que ce n'est pas grave, que ça va passer, etc. Cela ne *marche* que si nous avons d'abord pleinement accepté le problème, pas si nous sommes encore en train de refuser son existence (« Ce n'est pas possible, ce n'est pas juste »). Les graines de la sérénité ne poussent que sur une terre de lucidité, pas sur le déni ou le mensonge à soi-même. Pour que des paroles apaisantes soient réellement des paroles apaisantes, il faut prendre le temps de les accueillir, de les écouter, de les ressentir, de les éprouver. De les faire vivre en soi. Comme nous l'avons fait précédemment pour les émotions douloureuses. Car il n'est pas interdit, bien sûr, de donner aussi de l'espace à ses émotions agréables...

LEÇON 6

Lorsque je suis troublé, contrarié, inquiet, surtout
ne pas passer à autre chose pour m'en libérer,
me soulager. Au contraire, si j'en ai le temps,
observer ce qui se passe en moi. Quelle est cette
émotion qui m'habite ? Vers quoi me pousse-
t-elle ? Cela semble très simple, mais évidemment
ça ne l'est pas : comme pour nos pensées, nos
émotions s'imposent à nous, c'est-à-dire qu'elles
ne se présentent pas comme des phénomènes
subjectifs, mais comme l'évidence, la réalité non
discutable. Alors, ne pas chercher à modifier
ou effacer ce que je ressens, ne pas chercher à
me consoler ou à me calmer. Pas maintenant.
Pas directement. Juste me rendre présent. Bien
respirer, ne rien « vouloir » d'autre que m'attacher
à respirer en observant ce qui se passe en moi.

DÉPLOYER SON ATTENTION POUR ACCROÎTRE SA CONSCIENCE

Notre attention est comme un trésor que l'on néglige, un don que l'on délaisse. Si nous apprenons à cultiver nos capacités d'attention, nous pourrons vivre plus heureux et devenir plus intelligents. Car nous pourrons éviter les écueils de la dispersion et de la rumination. Écueil de la dispersion : lorsque notre attention est instable et vagabonde, répond sans discernement à tout ce qui la sollicite, même si c'est idiot, même si c'est creux, même si c'est inutile ; du moment que ça change,

elle suit. C'est nous devant un écran…
Écueil de la rumination : lorsque notre
attention est captée par la douleur,
l'inquiétude, le souci d'avoir mal fait ;
alors nous sommes aspirés à l'intérieur
de nous-mêmes et nous ne portons
plus sur la vie, la vraie, qu'un regard
distrait. C'est nous à chaque fois que
nous quittons le monde réel pour
le monde virtuel des regrets du
passé ou des soucis pour l'avenir…
Dispersion et rumination : deux
sources de souffrance, qui nous
ferment la porte du présent.

La conscience

On pourrait définir la conscience ainsi : à la fois ressentir et percevoir, et savoir que l'on ressent et que l'on perçoit. La conscience suppose l'éveil : ainsi, un dormeur ressent et perçoit, mais ne le sait pas, il est inconscient. La conscience est sans doute la fonction la plus délicate et compliquée de notre esprit, et des milliers de recherches scientifiques ont été conduites à son propos. Mais ce dont nous avons besoin ici, c'est d'un modèle de compréhension qui soit à la fois ni trop faux ni trop compliqué. Pour simplifier, nous dirons qu'il existe trois niveaux de conscience.

Le premier est celui de la conscience primaire, qui est l'ensemble de nos impressions et de nos sensations. Elle est une sorte de conscience animale et préverbale, qui nous aide à nous adapter au monde environnant. Par exemple, c'est cette conscience qui fait que, tout en lisant ces lignes, vous percevez aussi votre corps, les sons qui vous arrivent, les mouvements autour de vous, etc.

Le deuxième niveau est celui de la conscience identitaire, où émerge la notion de « soi » comme résultante de ces impressions. C'est la conscience qui nous aide à faire la synthèse de ce que nous vivons, et à réaliser que toutes ces sensations nous appartiennent. Nous nous habituons, bien sûr, à cette « évidence », nous l'oublions, et parfois, en passant

devant un miroir ou en entendant quelqu'un pro-
noncer notre prénom, nous réalisons soudain que
nous sommes «nous», et nous sommes saisis d'un
discret vertige identitaire : «Comment? C'est moi,
ce visage, cette personne que l'on nomme?»

Le troisième niveau est celui de la conscience
réflexive, capable de recul par rapport à ce «soi» et
notamment d'en observer les mécanismes. C'est la
conscience qui nous aide à comprendre et à réfléchir : celle qui nous amène à réaliser que nous avons
été trop égoïstes, ou que nous sommes en train de
nous énerver ou de nous angoisser.

Et la «pleine conscience»? Où se situe-t-elle
dans tout ça? Disons que sa pratique intègre pleinement ces trois niveaux : celui de la conscience primaire, auquel elle accorde une importance extrême
puisqu'il permet une forme de compréhension et
de pacification des phénomènes corporels et émotionnels ; celui de la conscience identitaire, point
de départ de l'observation de nos enchaînements
de pensées ; et celui de la conscience réflexive, qui
permet à notre esprit de se dissocier et de se libérer
de ses automatismes mentaux.

L'attention

«L'attention est la prise de possession par l'esprit, sous une forme claire et vive, d'un objet ou
d'une suite de pensées parmi plusieurs qui semblent

possibles [...] Elle implique le retrait de certains objets afin de traiter plus efficacement les autres», explique William James, l'un des fondateurs de la psychologie moderne, qui étudia très tôt la conscience et l'attention.

L'attention est l'outil de base de la conscience : pas d'attention, pas de conscience. C'est sans doute pour cela que la phrase que prononcent le plus souvent les instructeurs de méditation est : «Maintenant, portez doucement votre attention sur...» Mais attention et conscience sont deux entités différentes. L'attention est un outil et la conscience, un espace. Par l'attention, on choisit et on écarte (ce qui ne nous intéresse pas), alors que, dans la conscience, on accueille. L'attention procède par exclusion, la conscience par inclusion. C'est, par exemple, le problème avec l'anxiété ou la dépression, qui sont, d'une certaine manière, des troubles de l'attention : on ne fait attention qu'à nos sources de soucis, et on écarte le reste. Ce sera aussi une solution possible que de faire appel à la pleine

« J'AI ENLEVÉ BEAUCOUP DE CHOSES INUTILES DE MA VIE ET DIEU S'EST RAPPROCHÉ POUR VOIR CE QUI SE PASSAIT. »

Christian Bobin, *Ressusciter*

conscience pour soigner cette attention malade : élargir le champ de notre attention dans les moments où nous nous sentons tristes ou inquiets.

La qualité de l'attention

Mais revenons à l'attention, et à ses rapports avec la conscience. Nous pouvons difficilement agir de manière directe sur notre conscience. Nous devrons, en général, apprendre pour cela à moduler notre attention. Ce travail peut s'effectuer dans trois directions.

La première concerne l'ouverture attentionnelle : l'attention peut ainsi être focalisée (étroite) ou ouverte (large). Dans l'attention focalisée, on dirige un faisceau attentionnel étroit, par exemple sur une action (être concentré sur ce qu'on fait), un spectacle (être absorbé par ce qu'on voit ou entend), ou des pensées (« partir » dans ses réflexions ou ses ruminations). L'attention ouverte, à l'inverse, tend à s'élargir, à se détacher de ses objets initiaux, à se libérer doucement de l'identification aux pensées ou aux ressentis. Et à inclure d'autres objets. C'est ce qui se passe lorsque, tout en observant ce qu'on ressent dans son corps, on inclut aussi, par strates successives, les sons, les pensées, les émotions dans notre expérience de l'instant présent. Cette attention plus largement ouverte tend naturellement vers ce qu'on pourrait aussi appeler une

«conscience attentive», et qui se rapproche fortement de la pleine conscience.

La seconde direction de travail possible porte non
plus sur l'*ouverture* mais sur la *qualité* de notre attention : «analytique» ou «immergée». L'attention
analytique, c'est celle que nous mobilisons lorsque
nous nous concentrons sur la résolution d'un problème ardu, mathématique ou existentiel. Notre
intelligence fonctionne alors à plein, nos pensées
s'enchaînent, notre raisonnement avance, et nous
analysons dans le détail tenants et aboutissants du
problème. L'attention immergée, elle, se situe à
un autre niveau : elle nous fait oublier que nous
sommes en train de réfléchir ou d'agir. L'attention
immergée peut concerner des activités simples : être
absorbé par un film passionnant, ou par le rythme
de sa foulée lors d'un jogging. Mais elle concerne
aussi des tâches plus complexes : descendre une
pente à ski, jouer d'un instrument de musique,
ou s'absorber dans une tâche intellectuelle. Dans
toutes ces situations, nous sommes pleinement
attentifs à ce que nous faisons (sinon nous tombe-
rions, ferions une fausse note ou serions sans arrêt
distraits de notre réflexion). Mais nous le sommes
dans un état d'attention dite «immergée» : nous
sommes si intensément présents à ce que nous faisons que nous sommes complètement «dedans»,
sans besoin de mentaliser ou d'analyser ce qui se
passe.

La troisième direction de travail porte sur la fixité ou la fluidité. Parfois, notre attention est fixée, comme «collée» à quelque chose ou un ensemble de choses : lorsque nous ruminons, lorsque nous sommes fascinés par un film, un spectacle, une personne. Alors, notre attention hiérarchise ses objets entre ce qui est prioritaire, qu'elle amène et maintient au premier plan, et ce qui est secondaire, qu'elle repousse au second plan. D'autres fois, notre attention est fluide : nous pouvons aller et venir d'un objet à l'autre, au gré de nos décisions ; il ne s'agit pas de dispersion, qui est une adhésion superficielle à une série de sollicitations environnementales successives. Il s'agit d'une fluidité : nous sommes alors présents à tout, prêts à porter notre attention sur tout, sans hiérarchie *a priori* ; un peu comme un président de séance qui serait prêt, lors de débats, à donner la parole à tout le monde, pas seulement aux leaders ou aux personnes assises au premier rang.

Plus notre attention est élargie, immergée et fluide, plus nous nous rapprochons de la pleine conscience : une présence intense et ouverte, pas seulement mentale mais globale (incluant notre corps tout entier), à l'expérience que nous vivons instant après instant ; une présence qui ne donne pas de priorité à la pensée sur le corps ou aux émotions sur les sensations, mais qui accueille tout, qui intègre tout.

Travailler l'attention pour préserver
la conscience

En matière de vie de l'esprit, les choses ne se font pas seulement parce que nous en avons envie ou parce que nous l'avons décidé. Il en est ainsi pour l'attention.

Le travail sur l'attention est une nécessité repérée depuis longtemps, en Orient comme en Occident. Écoutons à nouveau William James : « La faculté de ramener volontairement une attention qui s'éparpille tout le temps constitue la racine même du jugement, du caractère et de la volonté. Nul n'est une personne entière qui ne la possède. [...] Mais il est plus facile de définir cet idéal que de donner des indications pratiques pour l'engendrer. »

Ces capacités attentionnelles sont effectivement à la base de notre efficacité mentale comme de notre bien-être. Et ce d'autant plus que nos modes de vie contemporains tendent à les affaiblir et à les appauvrir : nous évoluons de plus en plus dans des environnements « psychotoxiques », qui fragmentent notre attention en lui imposant de nombreuses interruptions (cela va des publicités – radio, télé, journaux, espaces publics – aux flots continus d'e-mails, SMS et autres tweets), en lui proposant des sollicitations mobilisantes et accrocheuses (on a ainsi montré l'augmentation vertigineuse, au cinéma comme à la télévision, du nombre de changements de plans et de cadrages à la minute). Le problème, c'est que notre mental tend déjà vers ça, vers la distraction et la dispersion. Notre esprit est attiré par le bruyant et le facile, comme notre goût est attiré par le sucré ou le salé.

Ce type d'environnements (et notre absence d'effort pour les contrebalancer) fait que notre attention a alors tendance à toujours fonctionner sur un registre appauvri : réactionnel (qu'est-ce qui bouge, couine ou clignote autour de moi) plus que décisionnel (à quoi ai-je décidé de m'intéresser), étroit plus qu'élargi. Elle prend l'habitude de rester focalisée et de ne faire que sauter d'un objet à l'autre : d'un souci à un autre, d'une distraction à une autre, etc. On soupçonne aujourd'hui ce fonctionnement de l'attention, trop souvent basé sur un mode réactif, étroit et analytique, de grandement faciliter les ruminations qui alimentent les états anxieux et dépressifs.

D'où l'intérêt, plus que jamais, d'un travail sur les capacités attentionnelles, pour les protéger ou les restaurer. La pratique de la méditation peut, de ce point de vue, être considérée comme une forme d'entraînement attentionnel. Pour que plus jamais ne nous soit dérobée notre conscience...

LEÇON 7

Le travail sur l'attention est au cœur de la pratique de la pleine conscience. Asseyez-vous, centrez-vous sur le souffle. Et voyez comme votre esprit part ailleurs. Alors, revenez sur le souffle. Une fois, dix fois, des centaines de fois. Des centaines de pas vous ont appris autrefois à marcher ; des centaines de pas continuent chaque jour de maintenir en vous cette capacité à la marche.

Il en est de même de vos capacités d'attention : si vous vivez dans la dispersion et vous contentez de répondre aux sollicitations, d'aller là où ça clignote et où ça sonne, elles seront indigentes. Les exercices de pleine conscience, et surtout les centaines de « sorties d'exercice » et les centaines de « retours à l'instant présent », représentent un entraînement mental exceptionnel. Pratiquez, pratiquez. Sinon, ne vous étonnez plus que votre esprit vous joue des tours...

N'ÊTRE QU'UNE PRÉSENCE

Cela survient souvent lorsque
tu es face à la nature : l'océan,
la montagne, la forêt ; même un jardin
peut te suffire, ou le ciel, bien sûr.
Tu t'assieds et tu sens que tu n'as plus
besoin de rien d'autre que ce qui est
là. Ton attention est stabilisée
et apaisée par ce que tu vois, entends,
renifle, ressens. Ton souffle et ton
corps se mettent doucement au
diapason de ce qui t'entoure. Tout
ce qui surgit à ton esprit est accueilli,
bienvenu, et intégré : ces paroles
prononcées au loin, apportées

et déconstruites par le vent,
ces pensées sur les choses à faire,
tout cela ne défait rien de l'expérience
que tu es en train de vivre, mais s'y
mélange. C'est drôlement intéressant
de vivre ça. Tu aimerais bien l'analyser
et y réfléchir, mais là aussi, cette
pensée qui voudrait te tirer par
la manche (« Qu'est-ce qui t'arrive, là ?
Réfléchis, c'est quoi ? ») va s'installer
sagement à côté de tout le reste :
à cet instant, tout en toi a fait
le choix calme et irrésistible de vivre,
et non de réfléchir.

Recueillement

Il y a, dans la pleine conscience, la nécessité de se recueillir. Se recueillir, c'est se recentrer, se «réhabiter», reprendre contact avec soi-même, là où précisément beaucoup de nos actes et de nos environnements nous coupent de nous-mêmes. Ou du moins nous accaparent, et écartent de notre esprit ces moments où l'on se sent exister, où l'on se sent «être», parce qu'on s'est arrêté de «faire».

Certains environnements facilitent ces moments de recueillement. Les églises ou les lieux de prière, par exemple. Il m'arrive, lorsque je suis en avance à certains rendez-vous, de prendre un peu de temps pour aller méditer dans une église voisine ; non pas «loin» mais «à côté de» la trépidation de la ville, de sa charge de surstimulations. La nature aussi est, bien sûr, favorable au recueillement, et c'est sans doute l'un des mécanismes qui font que sa fréquentation est favorable à notre santé, comme le montrent de plus en plus d'études : le contact avec la nature nous expose à un environnement où nous trouvons calme, lenteur et continuité, ces «nourritures» de notre esprit qui facilitent la pleine conscience.

Mais on peut aussi se recueillir dans le tumulte de la vie, décider de s'arrêter, de prendre un instant de recul dans l'action. Par contraste, ces instants volés à la bousculade peuvent parfois être très forts : on y a le sentiment, tout à coup, de plus d'espace intérieur, parfois de plus de clarté intellectuelle, au-delà du soulagement émotionnel. Comme un promeneur surpris par une énorme averse qui s'est réfugié sous un porche : si, au lieu de pester contre l'orage, il tourne sa conscience vers l'instant présent, s'il considère cet empêchement comme un répit, une parenthèse, alors il aura vécu et éprouvé quelque chose d'utile et de profondément sain, au sens d'utile à sa santé.

Le recueillement a aussi sa place avant l'action : au moment de commencer une tâche, rester debout quelques instants, se sentir respirer avant de s'asseoir à son bureau, se connecter, sans mots ni intentions précises, au sens profond de son travail ; avant de rentrer chez soi le soir, d'aller voir un ami, de recevoir un malade si l'on est un soignant. Il y avait autrefois de tels instants : le bénédicité avant de rompre le pain, la prière du soir. Où sont passées ces parenthèses de recueillement dans nos vies modernes ? Certainement pas dans la télévision ou la radio qu'on allume en rentrant chez soi, ni dans les écrans qui nous asservissent à chaque instant. Plus encore que des moyens de « se changer les idées », ces gestes, surtout lorsqu'ils sont devenus des automatismes, représentent des déracinements de notre esprit, à l'opposé exact de l'idée même de recueillement.

Je me souviens d'un patient qui apprenait la pleine conscience, et m'avait raconté avec un étonnement jubilatoire comment il accomplissait l'exercice, en montant dans sa voiture tous les matins, de ne plus automatiquement allumer l'autoradio, mais au contraire de poser ses mains sur le volant, de respirer et de prendre conscience de ce qu'il ressentait. Et comment ces petits instants, ajoutés à bien d'autres dans la journée, avaient fait doucement reculer son anxiété.

Je me souviens aussi de cet étrange passage, sans doute autobiographique, du livre de Pascal Quignard, *Les Ombres errantes* : « Pourquoi un jour d'avril 1994 alors qu'il faisait beau, alors que le soleil éblouissait, alors que je sortais du Louvre, ai-je soudain hâté le pas ? Un homme qui hâte le pas traverse la Seine, il regarde sous les arches du Pont Royal l'eau entièrement couverte d'une étincelante blancheur, il voit le ciel bleu tout au-dessus de la rue de Beaune, il pousse en courant une grosse porte en bois rue Sébastien-Bottin, il démissionne d'un coup de toutes les fonctions qu'il exerce. On ne peut pas être à la fois un gardien de prison et un homme évadé. » Vivre conscient n'est pas sans risques, et le recueillement pousse vite au désir de dépouillement, non pour s'appauvrir mais pour s'alléger.

Dépouillement

La deuxième nécessité de la pleine conscience est celle du dépouillement. Nous ne sommes pas obligés de nous dépouiller de notre passé ou de nos vêtements, comme Madeleine, mais de certaines de nos attitudes psychologiques : un pas important dans cette direction va consister à s'alléger de ses automatismes de pensée, et notamment de ses attentes et de ses jugements. Il y a ainsi quatre attitudes mentales importantes dans la pleine conscience : ne pas juger, ne pas filtrer, ne pas s'agripper, et ne rien attendre. Quatre attitudes à cultiver lors des exercices de méditation, et quatre renoncements dans leur sillage.

Renoncer à juger : par exemple, ne pas juger si l'exercice de méditation est réussi ou manqué. Difficile ? C'est vrai et d'ailleurs, « ne pas juger », c'est plutôt ne pas céder aux jugements qui arrivent forcément à notre esprit, ne pas leur abandonner le pouvoir, ne pas s'arrêter à eux, ne pas leur laisser toute la place.

Renoncer à filtrer : nous l'avons vu, il s'agira bien souvent de permettre aux sensations corporelles, pensées ou émotions, même désagréables, d'être là. Exemple : renoncer à l'espoir qu'aucun bruit n'arrive à nos oreilles lorsque nous méditons. Accepter les inconforts. Mais aussi, bien sûr, accueillir le bon et l'agréable. Ni masochisme ni

hédonisme. Juste une conscience ouverte et curieuse, qui accueille tout mais va où elle veut.

Renoncer à s'agripper : par exemple ne pas s'accrocher à l'agréable, ce qui est souvent un auto-
matisme de base. Ne plus vouloir à tout prix rester
dans un état de bien-être atteint grâce à l'attention
prêtée à ses mouvements respiratoires. Pourquoi
cette attitude ? Ce n'est pas souhaiter que cela s'in-
terrompe, c'est s'entraîner à ne plus s'en inquiéter :
s'affranchir du « pourvu que ça dure », se libérer de

« MAINTIENS TON CORPS
IMMOBILE ; GARDE LE SILENCE ;
NE BRIDE PAS TES PENSÉES,
LAISSE-LES VENIR, ET LAISSE
TA CONSCIENCE SE RELÂCHER
DANS UN ÉTAT D'AISE
PARFAITE. PARVENU À CE
POINT, L'ATTACHEMENT À LA
MÉDITATION ET À LA NON-
MÉDITATION S'EFFACE ; L'ESPRIT,
LIBRE DE TOUTE CONSTRUCTION
MENTALE, N'EST PLUS QUE
CONSCIENCE CLAIRE, VASTE
ET TRANSPARENTE. »

Shabkar, *Autobiographie d'un yogi tibétain*

nos angoisses – naturelles – gravitant autour de la perte de ce qui est agréable. Car ce qui est agréable, mieux vaut le savourer, en pleine conscience, que s'inquiéter de sa disparition future. C'est «l'inquiétude du bonheur» que tant d'anxieux et de déprimés ont du mal à surmonter.

Renoncer à attendre : c'est, sans doute, pour le débutant, l'aspect le plus déconcertant de la formation à la méditation de pleine conscience. Ne rien attendre, ne pas espérer que la séance soit source d'éclaircissements ou d'apaisements. Je me souviens encore de mes propres réticences : «Me dépouiller de mes attentes ? Mais sans attentes, sans buts, on ne va nulle part !» Justement, ça tombe bien : dans la pleine conscience, on ne cherche à aller nulle part ailleurs que là où on se trouve déjà...

Sincérité

Ce dernier renoncement est le plus difficile, et ne doit pas être une ruse que nous nous faisons à nous-mêmes (faire semblant de ne rien attendre alors qu'on attend dans le secret de son cœur), ni une attitude masochiste (se désintéresser du bien-être). Il s'agit simplement d'un détour. Ce que nous pouvions atteindre et construire par nos efforts et notre volonté, nous l'avons déjà atteint et construit. Par contre, beaucoup de choses, notamment dans le domaine émotionnel, ont résisté à nos efforts de contrôle et de volonté. Et nous allons essayer de nous désengager du «désir de résoudre» pour expérimenter autre chose : l'acceptation bienveillante de ce qui est là. Qui consiste à ne désirer rien d'autre qu'une pleine présence à l'instant. La pleine conscience, c'est toutes les fois où j'éprouve profondément que je suis déjà arrivé là où je devais être : ici et maintenant.

Pure présence et attention sans objet

À force d'élargir tout doucement le champ de notre attention, à force de nous dépouiller de nos attentes et de nos filtres mentaux, notre conscience est devenue pleine conscience. Elle est devenue très vaste et sans objet. Une pure présence.

Une conscience sans objet ? C'est un concept qui oppose parfois théoriciens et praticiens. Pour les philosophes, par exemple, toute conscience est conscience de quelque chose. Cela suppose que la conscience soit un effort d'attention qui se concentre autour d'un objet. Mais, pour les méditants, une conscience sans objet est possible, ils en ont souvent fait l'expérience : c'est une conscience élargie, capable de tout héberger. Elle est comme un amour illimité de ce qui est. Voir ce qui est, et l'aimer, de son mieux. On parle aussi de conscience sans choix. C'est une attitude précieuse. Pas supérieure intrinsèquement à d'autres manières d'être ou d'agir. Pas non plus une acrobatie gratuite de l'esprit. Précieuse car inhabituelle, et probablement porteuse de très grandes vertus : de guérison, de liberté, de clairvoyance.

Chez la plupart d'entre nous, la conscience sans objet est souvent un moment transitoire plus qu'un état stable : on ne fait qu'effleurer la pure présence. Et l'on pressent qu'il y a peut-être autre chose encore au-delà. Révélation ou illusion ? Plaisir indicible...

Au début, ce seront des grâces tombées du ciel. Des perches tendues par le hasard, souvent. Des moments où tout sera parfait, sans que la moindre intervention de notre part ne soit nécessaire. Puis, peu à peu, nous apprendrons à les susciter, ces instants de pure présence dont la définition est si simple : «juste être là». Et l'application si délicate, tant nous ne savons pas «juste être là» : intervenir et agir, orienter et influencer, tout cela nous démange, et le faire nous soulage. C'est à la fois la force immense de l'espèce humaine et son immense faiblesse. Mais par moments, nous saurons retenir notre geste. Nous nous dépouillerons de notre vie de surface, nous mettrons de côté passé et projets. Nous accéderons un instant à une immensité et une éternité transitoires, que nos actes et nos pensées nous cachaient. Tout sera bien et bouleversant. Un bouleversement calme.

LEÇON 8

Inviter le recueillement dans nos journées.
Traverser notre quotidien en ouvrant
régulièrement notre esprit à ce que nous vivons :
sortir des mots, des pensées, des objectifs, des
actes, quitter le « faire » pour l'« être ». Se mettre
à l'écart, lorsqu'il y a trop de tumulte autour de
nous ou en nous, et se dépouiller de toute forme
de volonté, ne plus rien vouloir, ne plus rien
chercher : désengagement, donc, de toute forme
de réflexion ou d'action, pour quelques instants.
Ne plus faire qu'exister ici et maintenant. Prendre
juste conscience que nous sommes là, vivants.
Et que rien d'autre ne compte à cet instant.

« JE N'AI RIEN FAIT
D'AUJOURD'HUI. – QUOI?
N'AVEZ-VOUS PAS VÉCU?
C'EST NON SEULEMENT
LA FONDAMENTALE, MAIS
LA PLUS ILLUSTRE DE VOS
OCCUPATIONS…»

Montaigne, *Essais*

2

VIVRE AVEC LES YEUX DE L'ESPRIT GRANDS OUVERTS : UNE PHILOSOPHIE DE VIE QUOTIDIENNE

VOIR L'ORDINAIRE

C'est une histoire simple : un soir, pendant tes vacances, tu faisais le plein d'essence dans une petite station perdue. Tout seul, personne autour de toi, que des robots à cartes bleues. Rien de moins poétique qu'une station-service, mais tout à coup tu as remarqué que c'était la tombée du jour, que la lumière était magnifique, l'air tiède et bienveillant. Tu as remarqué toutes les petites lumières qui commençaient à s'allumer dans les montagnes alentour. Et tu t'es retrouvé aspiré dans un autre monde, un monde parallèle à côté duquel tu te trouvais sans le savoir, celui de cet instant banal et ordinaire. Ce ne sont ni la beauté ni la bizarrerie qui alors te touchent et t'immobilisent corps et âme. Ce n'est pas ça qui ralentit doucement, jusqu'à

l'immobilité, le flot de tes pensées,
de tes gestes et de tes projets. Tu t'es
arrêté parce que cet instant est unique.
Parce que tu ne reverras plus jamais
exactement ce que tu vois. Parce que tu
ne revivras plus jamais exactement ce
que tu vis. C'est ça, tu as compris : tu t'es
arrêté parce qu'a surgi à ta conscience
l'essentiel. Tu es en train de vivre un
bout de vie. Comment peux-tu oublier
ça si souvent ? Oublier que vivre est une
chance, oublier que chaque instant de vie
est un miracle. Gagné sur la nuit, la mort,
le néant. Comment peux-tu oublier ça ?
N'oublie plus jamais de vivre. Maintenant,
par exemple : relève la tête et continue de
regarder autour de toi avec les yeux d'un
nouveau-né. Comme si jamais encore
tu n'avais vu ce que tu vois.

Allumer plus souvent l'interrupteur
de sa conscience

Nous éveillons notre conscience face à ce qui est beau, imprévu, bouleversant. Mais le reste du temps, nous sommes le plus souvent des robots agissants et absents. Parfois, nous nous réveillons ; notre époque place ainsi dans nos vies des tas de panneaux indicateurs («C'est par ici, par là»): des publicités («Maintenant, regardez! Écoutez! Savourez!»), des moments bien cadrés où il «faut» s'émerveiller ou s'émouvoir (cinéma, théâtre, visites de musées). Certitudes balisées... Mais notre vie n'est pas une visite guidée! À force de nous laisser ainsi manœuvrer, nous devenons des esprits creux, des âmes mortes ou léthargiques. Aimer le normal, le banal. Les regarder, les respecter. Affûter notre esprit pour cela. S'ouvrir à la densité de la banalité : il n'existe pas d'environnement nécessaire ou indispensable à la pleine conscience. Il y a certes des environnements favorables, privilégiés et facilitants. Mais cela peut nous arriver partout. À condition de faire quelques efforts. À condition de rester des êtres éveillés et présents.

Ne plus *faire* mais *être*

Nous *faisons*, toujours nous *faisons*. Nous sautons d'une action à une autre. Et, même en agissant, nous ne sommes pas présents à ce que nous faisons : bien souvent, notre esprit est empli d'intentions ou de souvenirs d'autres actions encore.

Dans l'absolu, être n'est pas mieux que faire. Nous avons besoin des deux. Mais justement, nous avons besoin des deux : et le mode mental que notre vie oublie ou expulse le plus volontiers, en toute inconscience, c'est le mode *être*. Dans nos sociétés, le mode «par défaut» est le mode *faire*. Alors, la pleine conscience nous chuchote de sortir du *faire*, et de basculer – même un tout petit moment de rien du tout – dans l'*être*.

Juste être là : la vie comme un exercice de pleine conscience

La consigne est simple : intensifier sa présence à ces instants bénins. Les habiter par la conscience. Cesser d'être un spectre, sortir des limbes, de ce qui n'est pas la mort, bien sûr, mais qui est parfois une forme de non-vie : se rendre présent, c'est se rendre vivant, pour de vrai.

S'observer dans l'expérience. Là où l'on est, et pas seulement dans des conditions privilégiées. S'observer dans l'expérience de la vie ordinaire. Même de l'ennui, parfois. Par exemple, pendant les attentes et les transitions : en profiter pour sentir qu'on est là, et comment on y est. Ne plus *attendre* : être là ! Un jour, lors d'une de mes pérégrinations vers un congrès, j'attendais le train sur un quai de gare. Je l'attendais, vraiment : surveillant l'heure, observant l'horizon et me demandant s'il allait arriver par la droite ou par la gauche. Tout en sachant que le départ n'était prévu que dans dix minutes. Mais je me demandais si c'était un train qui venait d'ailleurs (il arriverait juste à l'heure) ou s'il partait d'ici (il serait à quai plus longtemps avant, et je pourrai y monter). Bref, l'esprit complètement encombré de pensées inintéressantes et inutiles. Heureusement, je m'en suis rendu compte (ce n'est pas toujours le cas...). Je me suis vu tout à coup en train d'attendre mon train, comme un chien attend sa pâtée. Je me suis dit que, non, ce n'était pas possible de traverser ma vie comme ça ; même un petit bout de vie. Alors, j'ai songé à mes patients, aux exercices de présence au monde que nous pratiquons

« N'OUBLIE PAS QUE TOUT ESPRIT EST FAÇONNÉ PAR LES EXPÉRIENCES LES PLUS BANALES. DIRE QU'UN FAIT EST BANAL, C'EST DIRE QU'IL EST DE CEUX QUI ONT LE PLUS CONCOURU À LA FORMATION DE TES IDÉES ESSENTIELLES. »

Paul Valéry, *Mauvaises pensées et autres*

régulièrement. Et j'ai juste fait comme eux, juste fait ce que je leur demande de faire. J'ai abandonné le registre de l'action (ou plutôt de la trépignation, à ce moment où je ne faisais qu'attendre et surveiller l'arrivée ou le retard du train) et je suis passé sur le registre de la présence. J'ai laissé tomber la montre et l'horizon du bout des rails. Et j'ai tourné mon attention vers ma respiration, la façon dont je me tenais ; je me suis doucement redressé, j'ai ouvert mes épaules ; puis j'ai aussi ouvert mes oreilles, j'ai écouté les sons de la gare, les rumeurs, le bruit des roues sur les rails, les dialogues d'oiseaux ; j'ai observé la lumière de ce jour de printemps, les mouvements lents d'un train de marchandises là-bas, tout au bout des quais, les nuages, toutes les installations, les panneaux, les bâtiments au loin ; j'ai reniflé cette odeur froide de métal qu'il y a souvent sur les quais de gare. Fantastique, tout ce qu'il y avait à voir et à ressentir. Fantastique, comme c'était intéressant et apaisant d'être intensément là, présent à ma vie de l'instant. Lorsque je suis monté dans le train, j'étais serein comme jamais. Je ne l'avais pas *attendu* une seconde. J'avais juste *vécu* ma vie, vécu des minutes nourrissantes.

Juste être là, conscient. Prendre conscience que l'on est vivant. Ne rien faire ? Si : vivre. Vivre en conscience. Touchés par le banal, bousculés par le normal. Éclairés par le bénin et l'ordinaire. Éblouis et ravis par la vie.

LEÇON 9

Se rendre sensible et présent à ce que l'on ne regarde plus : tout ce qui est ordinaire et habituel, tout ce qui a cessé d'attirer notre attention.
Se laisser toucher par le quotidien, au lieu de l'asservir ou de le piétiner sans le voir. Inviter le monde en nous et découvrir sa subtilité et sa diversité, au lieu de ne voir de lui que ce qui correspond à nos obsessions de l'instant. C'est facile, il n'y a que trois conditions : le vouloir (souhaiter évoluer dans le monde réel et non un monde virtuel, appauvri par l'étroitesse de notre attention), le permettre (avoir désencombré son esprit et élargi sa conscience) et le faire (relever la tête, ouvrir les yeux et regarder pour de vrai).

VOIR L'INVISIBLE

Il existe dans la peinture occidentale
un genre particulier qu'on appelle
« nature morte » : le peintre y présente
des objets inanimés, souvent des
fruits, légumes, fleurs ou instruments
de musique. Et grâce à sa mise en
scène et en valeur de ces objets,
nous en découvrons la grâce et la
beauté. « Nature morte », quel drôle
de nom ! L'appellation anglaise *still
life* – vie immobile –, et l'allemande,
et la flamande, qui disent la même
chose, sont bien plus proches de
la réalité : ces peintures montrent
une vie silencieuse, calme, apaisée.
Qu'elles nous invitent et nous incitent
à rejoindre. Dans ce monde en
mouvement, dans ce monde utilitaire,
la nature morte nous arrête : vie
immobile, vie inutile. Inutile ? Parce
qu'elle n'a rien à montrer que de

l'ordinaire? Mais justement : ce qu'elle nous montre, c'est l'ordinaire qu'on ne regarde jamais. Et si l'on regarde, on voit : de la simplicité en majesté. Une présence intense derrière l'immobilité. Si l'on regarde, on voit que même ce qui ne clignote pas, ne bouge pas, ne scintille pas, ne fait pas de bruit, peut avoir de l'intérêt et de l'importance. Si l'on regarde, on voit qu'il y a de la beauté, de l'intelligence et même de la grâce dans le simple, l'accessible, le disponible. Je me souviens d'une discussion, un jour, avec un moine zen qui me recommandait de toujours respecter l'inanimé. Mais qu'est-ce que l'inanimé? C'est, me disait-il, « ce qui ne crie pas quand on le frappe ». Les choses, les objets, tous ces bouts de matière, ne crient pas, jamais. Mais parlent parfois…

Leçons des choses

Vivre en pleine conscience, c'est prendre le temps de contempler. D'être touché par les objets. Ceux que l'on croise chaque jour et que l'on oublie parce qu'à force de les voir, on ne les voit plus. Les laisser entrer en nous. Entrer en eux. Abolir les limites : être eux et les laisser nous prendre et nous fasciner, sans but.

Dans un recoin de la maison, s'abandonner à leur présence muette. Réaliser à quel point ces objets sont sources de calme, de lenteur, de pérennité. S'en rapprocher, s'en imprégner. Écouter comme ils nous murmurent de résister à l'activation («Faire! Faire!») et à l'accélération («Vite! Vite!»), ces deux maux modernes. «Prends garde à la douceur des choses...», dit le poète Paul-Jean Toulet. Oui, car cette douceur peut nous entraîner bien loin. Mais plutôt que d'y prendre *garde*, prenons-en *soin* au contraire. Chérissons la douceur des choses : cette vie immobile va nous embarquer vers des voyages immobiles.

Liens secrets

Les objets ordinaires ne sont pas ordinaires : ils sont merveilleux. Entre dans ta cuisine. Regarde : la bouteille d'eau, le verre, la cafetière, la table, le mur, les pommes, les gousses d'ail : merveilleux.

Boire, manger, fabriquer, appartenir à une espèce intelligente, curieuse et industrieuse : merveilleux. Ouvrir les yeux sur toutes les richesses insondables et inestimables que nous côtoyons sans les voir : merveilleux.

Bien sûr, il y a un effort, un microscopique effort, de présence et de regard, pour voir ce qui est invisible à qui ne regarde pas. Voir que nous ne sommes jamais seuls, mais au cœur de mille liens : d'autres humains que nous ont fabriqué ce vase, cette table, ont cherché des sources et bâti des aqueducs pour que l'eau nous désaltère, ont compris comment faire du sable un verre, ont cultivé et cueilli ces oranges. Et nous voilà, regardant tout cela. Comme d'autres ont regardé avant nous, et d'autres encore regarderont après. D'autres qui, comme nous, auront fait l'expérience de boire de l'eau, de reconnaître l'odeur ou le goût d'une fraise, de caresser de la main le dessus d'une table.

La banalité nous a ouverts à l'humanité. Parce que nous l'avons acceptée, recueillie, écoutée, regardée, ressentie, aimée. Sans vouloir la changer ni l'embellir, sans vouloir la modifier. Telle qu'elle est, nous l'avons contemplée. Et nous nous sommes sentis vivants, humains et réjouis. Heureux d'être là, dans ce recoin de cuisine, avec ces objets ordinaires. Heureux, tout doucement, de ces connexions à la nature, aux humains, à notre histoire. Chaque objet bénin est une malle au trésor, si on le regarde avec attention et affection. Celui-ci nous a été donné, celui-là nous l'avons acheté à tel endroit, à telle époque. Cet autre a été inventé et créé par des humains d'un continent lointain, d'un passé très ancien. Et celui-là vient de si loin...

La présence aux objets comme une conscience de l'humanité en nous et autour de nous, comme une dette joyeuse, une gratitude élargie à l'infini : comment, après cela, se dire misanthrope ou se gonfler d'orgueil ?

Aller vers l'essentiel

On peut faire un pas de plus.

On peut aller au-delà encore de toutes ces histoires que nous racontent les objets silencieux, qui vivent dans l'ombre de notre conscience. On peut les contempler sans réfléchir et sans rêver. Ce que l'on nomme *contemplation*, c'est «l'attitude de la conscience quand elle se contente de connaître ce qui est, sans vouloir le posséder, l'utiliser ou le juger», selon la splendide définition d'André Comte-Sponville.

Contempler, c'est regarder sans espérer, ni convoiter, ni commenter. C'est adopter une position d'humilité ouverte et curieuse envers le monde qui nous entoure. Surtout envers ce petit monde, immobile et invisible. C'est regarder les objets pour ce qu'ils sont. Se désengager même de ce qu'ils nous disent. Doucement se désengager de leur histoire («On me l'a donné», «Je l'ai ramassé», «Je l'ai acheté un jour où il pleuvait et où j'étais triste»), de leur finalité («Ils me servent à ceci, ou à cela»), de notre jugement sur eux («Elle est belle», «Il est moche», «Ils sont bizarres»). Doucement s'affranchir de ces paroles mentales, les traverser et aller plus loin encore : voir les choses dans leur secret de matière tranquille. Se connecter juste à ce qu'elles sont. Recevoir d'elles une leçon de sagesse silencieuse, sans un mot.

L'immobile révèle l'invisible ; comme le silence révèle l'essentiel. Prenons soin d'accueillir le monde avant de prétendre le penser...

« CHERCHE, PARMI TOUS CES OBJETS MISÉRABLES ET GROSSIERS DE LA VIE PAYSANNE, CELUI, POSÉ OU APPUYÉ ET N'ATTIRANT POINT L'ŒIL, DONT LA FORME INSIGNIFIANTE, DONT LA NATURE MUETTE PEUT DEVENIR LA SOURCE DE CE RAVISSEMENT ÉNIGMATIQUE, SILENCIEUX, SANS LIMITE. »

Hugo von Hofmannsthal, *Lettre de lord Chandos*

LEÇON 10

S'abandonner au vertige de la contemplation des objets quotidiens : une noix, une chaussure, un brin d'herbe, un téléphone… S'en approcher, les observer. Se laisser d'abord gagner par tout ce qu'ils peuvent nous dire : tant d'intelligences et d'efforts les ont conduits à exister, tant d'histoires les ont conduits là, devant nous, dans nos vies. Puis, doucement, laisser refluer les pensées et ne rester qu'avec l'essence de l'objet, sans rien lui demander de plus que sa présence silencieuse. Mystique apaisante et étonnante de la casserole ou de la fleur, négligées et oubliées. Sauf de moi. Ces visites à l'insignifiant comme des remerciements et des hommages rendus à ma chance ahurissante : je suis un être humain, vivant et conscient.

VOIR L'IMPORTANT

Lorsque je me trouve dans un supermarché, je me sens en danger ; comme lorsque j'arrive en voiture près d'une grande ville, dont les carrefours et les autoroutes urbaines s'entremêlent en tous sens. Il me semble que je suis en danger parce que je suis trop loin de mes racines animales (ou humaines ?) et qu'elles se rebiffent en m'attristant (dans le supermarché) ou en m'affolant (sur les autoroutes). Je suis dans un univers du *trop* et du factice, dans un océan de signaux artificiels intelligemment

pensés par d'autres pour me
téléguider. Je suffoque, je m'asphyxie.
Ce monde de pléthore et de tumulte,
je ne veux pas m'en plaindre :
nos ancêtres ont trop souffert du
manque et de l'ennui (peut-être ?),
et beaucoup de mes contemporains
l'apprécient. J'ai juste à m'en méfier :
où est l'essentiel ? où est l'important ?
Dans ces mondes de l'artifice,
je me sens perdu. Ma chance,
c'est que je le sais. Et que je dispose
d'une boussole pour me retrouver :
la pleine conscience.

Tumultes et artifices

On peut reprocher beaucoup de choses à cette époque qui est la nôtre, mais on doit lui reconnaître une grande qualité : elle est passionnante, et d'une richesse étonnante, pleine de changements, de vitesse, de mélanges, nous procurant des plaisirs et des possibilités jamais obtenus auparavant, par les générations qui nous précédèrent. Mais est-ce que ces richesses et cette vitesse ne masquent pas certains périls ? Est-ce que le clinquant, le chatoyant, l'intéressant, qui composent souvent notre quotidien extérieur, ne masquent pas certaines misères intérieures ? C'est ce que pensent depuis longtemps les écrivains qui ont vu naître et grandir notre monde actuel. Voici ce qu'en disait Stefan Zweig : «Les conditions nouvelles de notre existence arrachent les hommes à tout recueillement et les jettent hors d'eux-mêmes dans une fureur meurtrière, comme un incendie de forêt chasse les animaux de leurs profondes retraites.» Ou Nietzsche : «Toutes les institutions humaines ne sont-elles pas destinées à empêcher les hommes de sentir leur vie à cause de la dispersion constante de leurs pensées ?»

Pour que notre conscience puisse exister et se développer, nous allons devoir la protéger d'un monde, certes stimulant et nourrissant, mais aussi envahissant et toxique.

Pollutions de l'esprit

Il y a des pollutions chimiques : elles contaminent les aliments, l'air, l'eau. Et des pollutions psychiques, qui contaminent notre esprit, violent notre intimité, perturbent notre stabilité intérieure. Slogans, publicités et autres manipulations commerciales : il existe de nombreuses études sur ce matérialisme psychotoxique, dont on sait qu'il provoque beaucoup de dégâts variés. Par exemple, des vols d'attention, de conscience et d'intériorité. Dans quel état finit notre esprit, à force de vols d'attention ? Car notre attention est sans cesse captée, attirée, et finalement fragmentée, segmentée. Elle finit par devenir «accro» au bruyant, au clinquant, au facile, au prédigéré, au prépensé. Dans quel état finit notre esprit, à force de vols de conscience ? Notre mental est encombré de pensées, de démarches et de contenus inutiles : lire les publicités que nous croisons, faire des choix de consommation

«AH ! QUE J'AI BESOIN
DE SOLITUDE ! J'AI GRAVI
LA COLLINE, AU COUCHER DU
SOLEIL, POUR VOIR LES LIGNES
DES MONTAGNES À L'HORIZON.»

Henry David Thoreau, *Journal*

entre le «moins cher» et le «encore moins cher», dépenser beaucoup d'énergie à rechercher «la bonne affaire», être gavé d'informations qui tournent en boucle et se répètent d'un jour à l'autre. Dans quel état finit notre esprit, à force de vols d'intériorité? Nous sommes submergés par de plus en plus d'attractions externes et de distractions. Activités creuses de remplissage mental et comportemental. Or, comme il faut des silences pour que la parole se fasse entendre, il faut de l'espace mental pour que la conscience et l'intériorité émergent. Le disque dur de notre conscience est encombré de trop de choses inutiles.

Car la conscience prend naissance dans l'intériorité. Plus nous courons après de l'externe, moins il y a de conscience. Ces vols d'attention et de conscience aboutissent donc à des déficits d'intériorité. Ils entraînent aussi un raccourcissement de nos pensées. Comme le dit Tiziano Terzani : «Aujourd'hui, nous sommes énormément sollicités, si bien que notre mental n'est jamais en paix. Le bruit de la télévision, le son de la radio dans la voiture, le téléphone qui sonne, le panneau publicitaire sur l'autobus qui passe juste devant. On n'arrive pas à avoir de pensées longues. Nos pensées sont courtes. Nos pensées sont courtes parce que nous sommes très souvent interrompus. » Nos pensées sont courtes et pas toujours tournées vers le dedans, mais comme enfermées dehors par le tumulte et le chatoiement de ce monde factice. Elles sont hors de nous ; elles finissent par ne plus être nos propres pensées, mais juste des contenus mentaux stéréotypés venus de l'extérieur, échos de ce monde sans âme. L'écrivain Louis-René des Forêts disait : « La surabondance n'a rien à voir avec la fertilité. » Nos esprits perdent leur fécondité à trop se laisser remplir par le vide des tapages extérieurs...

Alors, bien sûr, quand on essaye de penser et de pratiquer l'introspection, c'est-à-dire de réfléchir par soi-même, au calme, au silence, dans la continuité, on ne sait pas ou on ne sait plus. Pire : comme on en a perdu (ou jamais acquis) l'habitude, surviennent alors des angoisses, de l'ennui, ou des ruminations qui tournent en rond. Alors, vite, vite, nous opérons un retour vers l'extérieur de nous-même, retour à ce tumulte et ce remplissage rassurants. Nous souffrons ainsi d'un déficit généralisé d'intériorité. Car il manque dans notre société tout ce qui permet l'introspection. Nous sommes carencés.

Carences de lenteur, de calme, de continuité...

Les maladies de carence sont insidieuses. Si nous sommes carencés en vitamine C ou D, en oméga-3, en sélénium, il ne se passe d'abord rien. Nous ne souffrons pas, nous ne suffoquons pas, nous ne tombons pas à la renverse. Pas d'effet immédiat.

Mais peu à peu des symptômes de souffrance vont apparaître, sous l'effet du manque. Souvent, nous ne comprendrons pas bien pourquoi, ni d'où ils viennent. Les carences se manifestent toujours ainsi, doucement, lentement, insidieusement. Jamais de façon bruyante.

Notre société de profusions multiples crée aussi en nous des manques multiples, et les deux sont liés. Voyez les maladies de pléthore, par exemple, ces maladies modernes du *trop* : trop d'aliments qui nous rendent obèses, trop de possessions qui nous rendent moroses. Le trop de quelque chose, c'est toujours un manque d'autre chose. Et l'excès génère forcément la carence. On sait, par exemple, que la nourriture industrielle, les aliments raffinés et aseptisés, non seulement sont malsains à cause du *trop* – trop présents, trop faciles d'accès, trop sucrés, trop inducteurs d'appétit, puis de diabète et d'obésité –, mais aussi à cause du *pas assez* – pas assez de nombreuses vitamines et oligo-éléments. Les carences contemporaines portent également sur nos besoins psychiques. Par exemple, les besoins de calme, de lenteur, de continuité. Pour lesquels nous avons à lutter et à nous organiser, afin de ne pas tomber malades (de stress, d'instabilité émotionnelle, de dispersion mentale).

Lutter contre les carences de lenteur : prendre son temps. Ne pas voler d'une activité à l'autre. Ne pas faire plusieurs choses en même temps. Agir, chaque fois que possible, avec douceur et calme. Pratiquer des «cures de rien», de simple, de calme, de monoactivité. Repérer aussi les remplissages d'emploi du temps et s'en méfier : les programmes délirants d'activités que l'on arrive parfois à s'imposer en week-end, en vacances... Lutter contre les carences de calme : fuir les agressions, les sollicitations. Redevenir sensible à tous les *trop* : musique tout le temps, images tout le temps, écrans tout le temps. Détachons-nous. Acte de liberté : fermer les yeux, ne pas regarder ces écrans qui volent notre attention, nous mangent partout du temps de cerveau et du temps de repos... Lutter contre les carences de continuité : repérer les interruptions incessantes qui ponctuent nos journées ; élever son niveau de conscience par rapport à elles. Résister à la tentation de regarder ses e-mails, SMS, tweets et autres, de passer un coup de fil ou d'aller faire un tour sur Internet...

La pleine conscience nous aide à prendre conscience de ces pollutions cachées de nos esprits. Et à nous en protéger : elle nous permet de restaurer nos capacités d'introspection, et de nous reconnecter à nous-mêmes. Au lieu de toujours vivre sous perfusion d'injonctions, de distractions, d'activations extérieures.

Elle nous propose de ne rien faire et de rester juste là. À notre poste d'observation, à la vigie de l'introspection. La pratique de la pleine conscience nous aide à décrocher : on n'y recherche rien, il n'y a pas de but. On se donne le temps, on décide, librement, d'aller doucement. On prend le temps de s'asseoir, d'observer, d'éprouver.

Même si on ne le fait que peu de temps, que quelques instants : on est dans la pleine conscience dès qu'on ferme les yeux et qu'on cesse l'action. Déjà, on est dans la liberté.

La pratique méditative : le lieu exact du choix entre l'urgent et l'important

Comme la sédentarité de nos sociétés modernes a créé dans nos corps le besoin de sport, la sur-sollicitation éveille dans nos esprits le besoin de méditation. La pleine conscience peut nous aider, nous l'avons vu, à nous rapprocher de ces besoins fondamentaux : lenteur, calme, continuité. Satis-faire ces besoins est une démarche importante. Pas urgente, mais importante.

Il y a ainsi dans nos vies de l'urgent et de l'im-portant. Urgent : répondre à mes e-mails, finir mon travail, faire les courses, réparer ce robinet qui fuit... Si je ne fais pas ce qui est urgent, je serai puni, ra-pidement, j'aurai des ennuis. Alors, je m'exécute. Important : marcher dans la nature, regarder passer les nuages, parler à mes amis, prendre le temps de souffler, de respirer, de ne rien faire, de me sentir vivant... Si je ne fais pas ce qui est important, il ne m'arrivera rien. Rien dans l'immédiat. Mais, peu à peu, ma vie deviendra terne, ou triste, ou bizarrement vide de sens.

Chaque jour, il y a dans nos vies des conflits entre ce qui est urgent et ce qui est important. Comment ne pas sacrifier totalement l'important à l'urgent? Comment ne pas céder peu à peu à la dictature de l'urgent, qui fait qu'au bout d'un moment, toute sollicitation me semble urgente, même si en réalité elle ne l'est pas, ou pas autant qu'elle voudrait me le faire croire?

En réfléchissant, bien sûr. Et en méditant.

Mais même en pratiquant la pleine conscience, nous sommes constamment exposés à ce conflit: à peine me suis-je assis, les yeux fermés, que déjà m'assaillent des pensées sur tout ce que j'ai à faire. «Pense à envoyer cet e-mail. N'oublie pas de rappeler Untel. Tiens, il faudrait que tu notes cette idée avant de l'oublier. Au lieu d'être là, assis, à essayer de méditer, tu ferais mieux de te lever et de faire toutes ces choses avant de les oublier. Et puis aujourd'hui, ça ne marche pas bien ta séance, tu n'as pas l'esprit à ça. Allez, laisse tomber, relève-toi. Tu trouveras bien un autre moment. Méditer, ça peut attendre. Ce n'est pas comme ton boulot...»

L'urgent tente toujours de prendre le peu de place que je m'efforce de réserver à l'important. C'est comme ça, c'est sa nature. Alors, si je ne dis pas non, si je ne fais pas cet effort, je suis perdu. Je vais vivre une non-vie de robot remuant et creux. Est-ce cela que je souhaite ?

La pleine conscience m'apprend à protéger ce qui est important. À me dire doucement : «Non, non. Je ne me lève pas, je n'ouvre pas les yeux, je n'arrête pas ma séance. Je reste là, assis, les yeux fermés, à prendre conscience de mon souffle, de la respiration du monde tout autour de moi. C'est important. Très important. Infiniment important. Rien n'est plus important à cet instant que de rester là, comme ça. » Avoir appris à doucement dire *non* lors des exercices de pleine conscience, avoir fait l'*expérience* de ce non et de ses bienfaits, cela va peu à peu s'étendre à tout le reste de ma vie. Et m'aider à y dire non, aussi, m'aider à tamiser le flot des urgences, à accroître ma clairvoyance envers les fausses alertes du «fais-le vite, tout de suite ! ».

Sourire, comprendre que chacun de ces petits combats gagnés me rend plus intelligent et plus heureux.

Et m'aide à faire, peu à peu, de la place dans ma vie pour ce qui importe. Penser à Thoreau, qui partit vivre un an dans les bois à Walden : «Une fois que l'homme s'est procuré l'indispensable, il existe une autre alternative que celle de se procurer les super-fluités ; et c'est de s'aventurer dans la vie présente. »

LEÇON 11

Inlassablement, protéger son esprit des intrusions et sollicitations de la « vie moderne ». Cela veut dire, entre autres : faire la chasse à tous ces automatismes consistant à allumer sans y penser la radio, la télé, l'ordinateur ; préserver jalousement des plages de continuité pour notre esprit (ne pas se laisser déranger ou interrompre par le téléphone et les messages Internet) ; considérer que le calme et le silence sont des nourritures indispensables à notre cerveau, et que s'en priver trop longtemps nous rend tout doucement malades.

AGIR ET NE PAS AGIR

Cliché sur la méditation et la pleine
conscience : un moine tibétain assis
en tailleur, immobile depuis des jours
et des jours, dans un temple perdu
au milieu de l'Himalaya.

Réalité de la méditation et de
la pleine conscience : un enfant sur
la plage qui interrompt son labeur
de bâtisseur de châteaux de sable pour
regarder la mer intensément pendant
quelques secondes ; un médecin qui
écoute son patient sans le juger, avec
attention et affection, sans penser

à rien d'autre ; une femme debout
devant une tombe, au cimetière ;
ou toi, dans le métro bondé, les yeux
ouverts, secoué, écrabouillé, mais qui
sourit, qui ressent, qui écoute et qui
observe tout, les visages, les corps, les
sons et les paroles, même les odeurs
moches, même les pubs agressives,
et la marée des voyageurs qui monte
et descend. Oui, c'est bien ça :
la pleine conscience, c'est la présence,
la présence à tout, même (surtout ?)
à l'acte en cours et à la vie qui va.

La méditation a besoin de l'action

Être immobile et coupé du monde? Oui, les exercices de pleine conscience ressemblent effectivement à cela. Mais c'est seulement pour un temps. C'est seulement une respiration entre deux périodes d'action. On finit toujours par revenir à l'action. La méditation elle-même adore l'action, sinon elle tourne en rond. On médite avant d'agir, après avoir agi, et même *dans* l'action, que l'on peut accomplir, ou pas, en pleine conscience.

Il faut toujours se méfier de la pensée «hors action», comme ces fruits et légumes «hors sol», poussés sous serre et dans un jus nourricier artificiel qui n'a rien à voir avec la vraie terre. Toujours se méfier de la pensée théorique d'humains qui ne se frottent pas au quotidien de l'action. «Il faut soumettre l'action à l'épreuve de la pensée et la pensée à l'épreuve de l'action», écrivait Goethe. Mais il ne faut jamais non plus asservir totalement l'action à la pensée : ne pas l'accomplir seulement dans les obsessions du but («C'est bientôt fini? Qu'est-ce que c'est long...») ou du jugement («C'est agréable», «C'est pénible...»).

Nous avons, finalement, à libérer l'action, à lui permettre régulièrement d'être juste elle-même.

Libérer l'action : la démarche du «rien que»

Libérons et densifions nos actes, pour leur permettre de n'être «rien que» ce qu'ils sont : rien que manger (sans lire ni écouter la radio), rien que marcher (sans téléphoner, sans anticiper, sans réfléchir), rien qu'écouter (sans préparer ses réponses ni juger ce qu'on nous dit). Malgré les apparences, le «rien que» est suprêmement difficile : nous avons souvent la tentation de faire plusieurs choses en même temps. En vrai : manger en lisant, ou marcher en téléphonant. Ou dans notre tête : faire quelque chose en pensant à autre chose (prendre sa douche en pensant à sa journée de travail). Du coup, on fait tout en pleine absence et non en pleine conscience.

La pleine conscience préconise une hygiène de l'action simple, non pas permanente mais régulière : elle recommande de prendre, chaque semaine, un repas en pleine conscience (en silence, sans lecture, ni radio, ni discussion). Ou de pratiquer souvent une marche en pleine conscience : tout doucement, tout lentement, marcher en sentant que notre corps marche, qu'il marche dans un environnement que nous accueillons en nous, dans un océan de sensations dont nous sentons le frottement sur notre être. Marcher pour marcher. Sans rouspéter, sans s'empresser, juste laver la vaisselle et sortir la poubelle : mais en pleine conscience...

Vertus de la présence à l'action

Pourquoi ces efforts? Pourquoi renoncer, finalement, à vivre deux vies au lieu d'une, à faire à chaque instant deux choses plutôt qu'une? Parce qu'à vouloir vivre deux fois plus, on risque juste de vivre deux fois moins, car deux fois plus mal ; deux fois plus triste, deux fois plus énervé, deux fois plus creux, deux fois plus vain.

Il est important d'échapper à la «frénésie finaliste». Ne pas agir seulement pour *faire*, mais essayer aussi d'agir pour *être*. La présence mentale à l'action accroît notre sentiment d'être de vrais

« QUAND JE DANSE, JE DANSE ;
QUAND JE DORS, JE DORS ;
VOIRE, ET QUAND JE ME
PROMÈNE SOLITAIREMENT
EN UN BEAU VERGER, SI MES
PENSÉES SE SONT ENTRETENUES
DES OCCURRENCES ÉTRANGÈRES
QUELQUE PARTIE DU TEMPS,
QUELQUE AUTRE PARTIE, JE
LES RAMÈNE À LA PROMENADE,
AU VERGER, À LA DOUCEUR
DE CETTE SOLITUDE, ET À MOI. »

Montaigne, *Essais*

humains, notre sentiment de présence au monde. Et écarte de nous ces actions d'automate, dont nous ne savons même plus, quelques minutes plus tard, si nous les avons accomplies. La présence mentale à l'action nous permet aussi de nous rapprocher de ce pour quoi l'action existe. Être présent à ce que l'on mange nous le rendra plus savoureux. Écouter quelqu'un qui nous parle nous permet de vraiment l'écouter, et non de le juger en l'écoutant, ou de simplement faire semblant de l'écouter alors qu'en réalité, on prépare notre réponse.

La présence mentale à l'action nous permet enfin de mieux comprendre à quel moment une action devient inutile : être présent à ce que l'on mange ou à ce qu'on boit nous aide à éprouver le moment où il n'est plus utile de continuer à manger ou à boire. La pleine conscience nous aide à percevoir à quel moment un dialogue devient un dialogue de sourds. À quel moment nous taire et à quel moment parler...

Désobéir aux impulsions

Nous avons parlé, dans le chapitre précédent, des impulsions à interrompre nos séances de méditation pour faire quelque chose de «plus urgent». Cela peut nous saisir aussi pendant que nous travaillons (surtout si c'est compliqué, ennuyeux ou stressant) : l'envie de regarder si, par hasard, nous n'avons pas un e-mail ou un SMS, l'envie de passer un coup de téléphone, l'envie d'aller prendre un pe-tit café, l'envie d'aller bavarder avec des collègues, l'envie de manger un bonbon ou un gâteau...

La pleine conscience nous recommande de prêter attention à la naissance de ces impulsions avant de leur obéir ; elle nous suggère de *défusionner* avec elles. De les accueillir : « Tiens, j'ai envie d'interrompre mon travail. » De les observer : « Ça me pousse à arrêter ce que je suis en train de faire, parce que c'est difficile. » Et de se demander si on leur obéit ou pas : « Est-ce que c'est important, intéressant ou nécessaire d'obéir à cette impulsion ? » Souvent, bien sûr, ce n'est ni important, ni intéressant, ni nécessaire. Juste une impulsion d'habitude : agir, agir, agir... Et fuir aussi, aller voir ailleurs quand on est en difficulté, quand on est excité ou stimulé par une idée. Quand on s'ennuie. Ou même quand tout va bien : juste parce qu'on est intoxiqué. Juste parce que, dès que la démangeaison de l'impulsion surgit, nous nous soulageons par l'action.

Mieux percevoir la naissance de ces impulsions simples va ensuite nous aider face aux impulsions complexes : agresser si l'on est critiqué, ruminer si l'on est attristé, s'inquiéter si l'on est dans l'incer-titude. La simplicité de la pleine conscience nous aide, l'air de rien, à mieux évoluer dans la com-plexité de la vie.

Apprendre à se désobéir : un acte simple de cla-rification et de libération personnelle...

Cesser d'agir

Et si nous laissions plus souvent notre esprit respirer entre deux actions ? Après un coup de téléphone, ne pas passer à un autre coup de téléphone ; mais m'arrêter, fermer les yeux un instant, sentir mon souffle, et repenser à ce qui a été dit. Après le départ de mes amis, ne pas me précipiter pour tout ranger avant d'aller me coucher ; mais m'arrêter, fermer les yeux un instant, sentir mon souffle, et repenser à ces moments d'échange et d'affection. Après un conflit avec un proche, ne pas recouvrir ma peine et mes états d'âme par une autre action ; mais m'arrêter, fermer les yeux un instant, sentir mon souffle, et repenser à ce qui a été brisé dans ce lien qui m'est cher. Et si, après nos actions en pleine conscience, nous apprenions aussi à être pleinement présent au fait de ne rien faire ? À interrompre nos actions pour d'autres raisons que l'épuisement. Pour pratiquer la non-action...

Dans la méditation, la pratique de l'immobilité nous apprend beaucoup sur cette notion de non-action. Alors que nous sommes là, assis et immobiles, attentifs et réceptifs, nous comprenons que cette immobilité ne doit pas être un acte de plus. Nous comprenons qu'elle doit être non pas *voulue*, contrainte ou imposée à notre corps, mais simplement *permise*. Nous cherchons à la laisser émerger dans notre corps. Pas par le contrôle, mais par l'abandon et

l'observation : observe cette pensée qui te dit de bouger, de te gratter le nez, de te relever. Observe-la
bien, et décide vraiment si tu veux la suivre. De toute
façon, ne la suis pas tout de suite ; quoi qu'il arrive,
fais-la un peu attendre. Et reste immobile. « L'immobilité n'est pas une action de plus, imposée à une
partie de mon corps, mais une non-action de tout
mon être », nous rappelle un maître. Oui, c'est bien
cela : l'immobilité dans laquelle notre conscience
respirera est faite d'abandon et non de coercition...

Non-action et liberté

Mais s'abandonner et ne rien faire, c'est vraiment difficile ! Ça paraît simple, mais ça ne l'est pas
du tout. Il y a tellement de choses autour de nous
qui nous appellent et tellement d'humains qui nous
interpellent ! Tellement que nous pourrions y passer
toute notre vie. Nous pourrions facilement mourir
sans avoir vécu, après avoir passé toute notre vie à
faire les choses à faire. C'est pourquoi nous avons
besoin de non-action. La non-action, c'est la respiration de l'action. C'est comme le silence après
le bruit. C'est s'efforcer, dans bien des moments
de son quotidien, de ne pas passer tout de suite à
autre chose, à une autre action. Décider de prendre
le temps, non pas de réfléchir mais de ressentir, de
se laisser doucement envahir par le sillage de ce que
l'on vient de faire, et la présence de l'instant.

La pleine conscience nous permet, finalement, de considérablement augmenter notre liberté. Plus je la pratiquerai, plus je ressentirai dans mon quotidien la différence entre réagir (aveuglément, aux impulsions) et répondre (en toute conscience). Et plus je préférerai *répondre* à ce que me demande le quotidien, avec toute ma conscience, qu'y *réagir*, l'esprit absent. C'est bien pour cela que les pratiques méditatives peuvent transformer profondément notre rapport au monde, et pour cela aussi qu'elles relèvent de ce que certains appellent une «intériorité citoyenne».

LEÇON 12

Prendre l'habitude de se rendre présent à ce que l'on va faire : avant de travailler, de manger, de téléphoner à une personne que l'on aime, prendre le temps de quelques respirations en pleine conscience. Se connecter tranquillement à ce que l'on s'apprête à accomplir. Pas de grands discours, ni de motivations complexes : juste un acte simple de présence mentale. Et puis, bien sûr, chaque jour et chaque semaine, pratiquer des exercices de « rien que » : rien que manger (un repas en pleine conscience), rien que marcher (un trajet sans réfléchir ni anticiper), rien que se brosser les dents (sans songer à la journée qui nous attend ou que nous avons vécue).

AFFÛTER
SON ESPRIT

Dans ta vie, tu as réglé beaucoup
de problèmes grâce à ton
intelligence et tes capacités
de réflexion. Et tu as aussi perdu
beaucoup de temps à ruminer
et à ressasser, avec ces mêmes outils
d'intelligence et de réflexion. Mais
dans des situations où ils n'étaient
pas adaptés. Aujourd'hui tu as appris
une autre manière de te frotter aux
difficultés de ta vie, du moins
à celles qui résistent à ton esprit.
Tu t'arrêtes et tu médites. Tu te rends

présent, sans mots et sans buts,
à ce qui se déroule en toi : « Que se
passe-t-il et qu'est-ce qui m'arrive
exactement, en dedans ? » Tu ne
forces plus sur l'intelligence mais sur
la clairvoyance. Avant de te jeter
sur une solution ou une explication,
tu veux y voir plus clair, non
seulement dans le problème mais
aussi dans tout qu'il fait naître en
toi, dans le pouvoir qu'il exerce
sur tes pensées, tes émotions, tes
comportements, ton corps, même.

L'intelligence méditative

Pascal dit qu'il y a «deux excès : exclure la raison, n'admettre que la raison». Raison et méditation font bon ménage : la seconde permettant à la première d'étendre encore son champ. La méditation de pleine conscience ne ramollit pas l'esprit, elle n'est pas une contemplation passive. Elle est au contraire une nourriture de notre intelligence.

Exercer son intelligence, c'est établir des liens, relier entre elles des idées, des concepts, et en tirer des conclusions ou des décisions. Mais c'est aussi voir que ces liens existent ou peuvent exister. Se montrer intelligent, c'est donc commencer par observer ce qui est, au lieu de vouloir imposer tout de suite sa présence au réel. L'intelligence, c'est d'abord se lier au monde, avant d'en relier les éléments et d'en faire émerger des règles et des lois.

Ce lien entre le monde et nous, c'est le cœur même de la pleine conscience, dont la pratique représente à la fois un laboratoire, où nous observons notre esprit fonctionner (on pourrait parler d'une «science de soi»), et un gymnase, où nous l'entraînons à acquérir certaines qualités : capacités de réflexion, de concentration, de résistance à la distraction, de créativité, de flexibilité mentale...

Par exemple, la pleine conscience facilite ce qu'on nomme en psychologie l'*accommodation*. Les notions d'assimilation et d'accommodation ont été identifiées par le psychologue suisse Jean Piaget ; elles décrivent la manière dont notre esprit intègre les contradictions éventuelles entre le monde et notre vision du monde.

Ainsi, si un élément de réalité contredit l'une de mes croyances, je peux *assimiler* (déformer la réalité pour la faire cadrer avec mes croyances) ou *accommoder* (modifier ma croyance pour intégrer la réalité).

Un exemple : je pense qu'une personne de ma connaissance est égoïste (croyance) et, un jour, je la vois se comporter avec moi de manière altruiste

« SI VOUS ÊTES POÈTE, VOUS REMARQUEREZ CERTAINEMENT LE NUAGE QUI FLOTTE SUR CETTE FEUILLE DE PAPIER. SANS NUAGE, IL N'Y AURAIT PAS DE PLUIE ; SANS PLUIE, LES ARBRES NE POUSSERAIENT PAS ; ET SANS ARBRES, NOUS NE POURRIONS PAS FABRIQUER DU PAPIER. LE NUAGE EST NÉCESSAIRE AU PAPIER ; S'IL N'EXISTAIT PAS, LA FEUILLE DE PAPIER N'EXISTERAIT PAS NON PLUS. »

Thich Nhat Hanh, *Le Cœur de la compréhension*

(réalité). Je peux *assimiler* : ne pas modifier mon jugement sur elle et expliquer alors son comportement en me disant qu'elle se comporte ainsi par calcul. Mais je peux aussi *accommoder* : me dire qu'elle est aussi capable de comportements généreux et assouplir, sinon radicalement modifier, mon jugement sur elle ; ou le suspendre temporairement (« J'attends de voir la suite pour savoir vraiment que penser »).

Il est plus facile et confortable d'assimiler que d'accommoder, car cela ne nécessite ni efforts psychologiques ni remise en question personnelle. Cela ne fait qu'huiler davantage nos automatismes mentaux. Mais en bloquant évidemment nos capacités de nous libérer de nos croyances, et de faire évoluer nos avis et jugements. L'accroissement des capacités d'accommodation est un des bénéfices de la pleine conscience. C'est la conséquence des attitudes mentales d'acceptation et de non-jugement, par exemple. Et surtout de leur pratique régulière au travers des exercices : car la pratique, c'est ce qui fait la différence entre une position de principe et son application au jour le jour.

Freud écrivait : « Ce n'est pas résoudre un conflit que d'aider l'un des adversaires à vaincre l'autre. » La pleine conscience peut nous apprendre à ne vouloir la victoire d'aucune de nos façons de penser ou de voir le monde, mais à les héberger en nous dans toute leur richesse et leur complexité.

S'apaiser pour mieux lire le monde

Un autre bénéfice de la pleine conscience est l'apaisement, fort utile, lui aussi, à l'intelligence. L'intelligence des énervés et des passionnés est sujette à des obscurcissements étonnants. Leurs émotions leur donnent certes de la force et de l'énergie mais altèrent évidemment leur lucidité, et imposent à leur clairvoyance des éclipses incroyables et récurrentes. Le tumulte et le désordre de notre esprit diminuent notre libre arbitre, le rendent esclave de nos émotions, c'est-à-dire des circonstances.

Il est intéressant de noter à ce propos qu'il existe deux voies dans la méditation bouddhiste, d'où est issue la pleine conscience. Celle de l'apaisement, appelée *shamatha,* et celle de la «vision pénétrante», appelée *vipassana*. La première voie est nécessaire pour que la seconde s'exerce pleinement. L'esprit agité et dispersé ne peut poser sur le monde un regard lucide. Il reste dans une représentation du monde, mais il n'est pas dans le monde. Son intelligence est donc, au sens propre, bornée: limitée, restreinte. Quel intérêt?

La pleine conscience doit nous aider à ne pas en rester au «miroitement du réel». La vision pénétrante nous permet de sonder la nature des choses, de ne pas nous laisser abuser par les apparences. La philosophe Simone Weil écrivait: «L'intelligence n'a rien à trouver, elle n'a qu'à déblayer.»

Nous avons souvent ainsi à déblayer dans notre esprit tout ce qui fait obstacle à une vision juste et précise du monde, qui émergera alors d'elle-même, comme une évidence. La quête de la vision pénétrante n'est pas, pour les penseurs bouddhistes, une question théorique ou philosophique : la manière dont nous voyons et comprenons la réalité pèse de tout son poids sur notre bien-être et s'avère responsable, si elle est inadéquate, d'une part importante de nos souffrances et de celles du monde. Plusieurs concepts fondamentaux émergent ainsi de cette recherche de clairvoyance. Parmi les plus importants, citons l'interdépendance, la vacuité et l'impermanence.

Interdépendance, vacuité et impermanence

L'interdépendance de toutes choses nous rappelle que rien, ici-bas, n'a d'existence absolue en tant qu'entité fixe et isolée. Je n'existe pas en tant que sujet autonome et indépendant de mon environnement : je dois ma vie et ma survie à une infinité d'autres humains, et à bien d'autres phénomènes naturels encore. Les actes et les jugements que j'appelle miens – «mes» actes et «mes» jugements – et qui me semblent émaner de ma volonté propre sont déterminés par bien d'autres facteurs. Mais ces liens de dépendance sont aussi des liens d'interdépendance : «je» suis l'aboutissement mais aussi le point de départ d'élans et d'initiatives qui, à leur tour, vont exercer leur influence tout autour de moi. Tant que je n'aurai pas compris, et surtout intimement admis et intégré tous ces liens d'interdépendance, tant que je ne les aurai pas joyeusement acceptés, je serai aveugle et tomberai régulièrement dans les pièges de l'ego, de l'orgueil et de la souffrance. Les accepter, à l'inverse, ne me poussera pas au fatalisme mais à l'humilité dans mes entreprises et mes convictions.

La vacuité est le deuxième de ces grands concepts bouddhistes, et peut-être celui qui est à l'origine du plus grand nombre de malentendus. La «vacuité de toutes choses» ne signifie pas que rien n'existe vraiment, mais juste que ce que nous voyons n'a pas d'existence concrète et solide. Un peu comme un arc-en-ciel : son existence dépend de ma position, de celle du soleil, du bon vouloir des nuages qui passent... L'arc-en-ciel existe pour moi, mais pas pour d'autres humains, placés différemment. Il en est de même pour un énorme ressentiment envers quelqu'un qui a dit un mal affreux à mon sujet : il est bien réel, je le sens qui m'envahit dans mon corps et mon esprit. Mais si j'apprends que ces propos qu'on m'a rapportés n'ont jamais existé, et que la personne a dit en fait beaucoup de bien de moi, que deviendra ce ressentiment et sa redoutable solidité du moment précédent ? Il disparaîtra en un instant. La vacuité d'un phénomène ou d'une chose, ce n'est pas son inexistence ni son absence, mais sa nature instable, mobile, subjective, complexe... La vacuité, c'est cela : la conscience de la complexité de toutes choses. Et sa conséquence, c'est la prudence avant de se laisser prendre et de s'accrocher solidement au «miroitement du réel». Au début insécurisante, presque déprimante, l'idée de vacuité – et surtout l'expérience que l'on peut en faire en méditant – devient peu à peu éclairante, et presque réjouissante elle aussi, comme l'interdépendance.

Et puis, il y a l'impermanence, dont nous reparlerons, et qui nous apprend que rien n'est destiné à durer, que tout ce qui advient est affaire de compositions et décompositions, organisations et désorganisation, toutes transitoires et éphémères. Rien d'affligeant, là encore, mais plutôt de l'éclairant et du libérateur.

Comme le notait Paul Valéry : «L'esprit vole de sottise en sottise comme l'oiseau de branche en branche. Il ne peut faire autre chose. L'essentiel est de ne point se sentir ferme sur aucune...» Nos esprits ont besoin de certitudes transitoires, comme les oiseaux de branches. Mais passons-les au crible de l'interdépendance, de la vacuité et de l'impermanence, et nous en souffrirons moins ; nous ferons moins souffrir, aussi... Car il y a un quatrième concept bouddhiste central, sans lequel les trois précédents ne sont rien : la compassion et l'amour altruiste, dont nous reparlerons.

Rencontrer le réel

Le maître bouddhiste Thich Nhat Hanh enseigne : «La méditation n'est pas une évasion mais une rencontre sereine avec la réalité.» Cette rencontre sereine avec la réalité ne se décrète pas mais se travaille au travers de chaque exercice où l'on s'apaise par le souffle, où l'on examine patiemment son expérience de l'instant, avec douceur et obstination ; même si cette dernière est douloureuse, compliquée, embrouillée. On continue de respirer et de regarder en dedans de soi. On accepte de ne pas clairement comprendre ni maîtriser, mais on continue d'éprouver et d'observer. Ainsi, on apprend à mieux regarder, au-dehors, ce monde lui aussi douloureux, compliqué, embrouillé. On apprend à mieux penser, un peu plus juste, un peu plus clair...

LEÇON 13

Libérer les chaînes de notre intelligence car elle aussi peut se scléroser, ressasser et tourner en rond, victime de notre paresse, de la force invisible des automatismes mentaux et du « prêt-à-penser ». Cette libération ne se décrète pas, mais se travaille. Comment garder l'esprit affûté ? En le maintenant apaisé et ouvert au monde, bien sûr, mais aussi en remettant inlassablement en question son fonctionnement. À chaque fois que nous arrivons à nous dire « c'est simplement ce que je pense », « ce n'est que mon avis », non comme un discours de façade mais avec une vraie humilité et une vraie prudence, alors nous sommes non seulement dans l'intelligence mais aussi dans le discernement.

COMPRENDRE ET ACCEPTER CE QUI EST

Tu as mis longtemps à accepter que tu allais mourir un jour. Il te semble qu'aujourd'hui c'est mieux. Tu es capable d'accepter ça. Attention : accepter l'idée de mourir un jour, pas accepter la certitude que ta mort va survenir là, dans l'instant ou dans quelques jours ; ce sera alors une autre paire de manches. Mais accepter l'idée te semble un progrès. Et à quoi peux-tu voir que tu as accepté cette idée de ta mort ? D'abord parce que tu ressens moins cette peur pour tes proches, tu as moins peur qu'ils ne meurent, cette idée revient beaucoup moins souvent en toi. Et ensuite, parce que tu réagis différemment à sa survenue (et quand on vieillit, elle revient de plus en plus souvent) : désormais, cette idée, parce que tu l'acceptes, te pousse vers l'instant présent (« Puisque tu vas mourir, savoure déjà ce qui est là ») et non vers le refus (« Non, ce n'est pas possible de quitter cette vie que j'aime tant »). Acceptation : c'est drôle comme tu aimes ce mot...

Accepter

L'acceptation est au cœur de la pleine conscience. Accepter, ce n'est pas dire « tout est bien » (cela, c'est l'approbation) mais « tout est là, tout est déjà là ».

Nous n'avons pas besoin d'aimer une pensée, une situation, une personne, ou une expérience pour les accepter. Pas besoin d'aimer, juste d'admettre que cette pensée, cette situation, cette personne, ou cette expérience sont là : elles existent, elles sont déjà dans ma vie, et il va me falloir composer et avancer avec elles.

L'acceptation, c'est le degré supérieur du lâcher prise. Car elle est, plus qu'un comportement, une décision existentielle et une philosophie de vie, une attitude durable et réfléchie devant le monde et le cours de nos jours. Dans le lâcher prise, il y a la notion de renoncement : on arrête de se débattre. Dans l'acceptation, il y a une intention de rester présent dans l'action, mais différemment : dans la lucidité et le calme. À chaque chose qui advient, on commence par dire : « Oui. C'est là, c'est déjà là. Alors, oui. » C'est l'accueil sincère et complet du réel tel qu'il se présente à nous.

Mais cet accueil par le *oui* ne signifie en rien une résignation ou un renoncement à agir et à penser. C'est juste une des deux phases de ce mouvement régulier de notre esprit, comme une respiration de l'âme : acceptation (de ce qui est) puis action (sur ce qui est), acceptation (de ce qui est advenu) puis action (sur ce qui est advenu). Et ainsi, encore et toujours, jusqu'à la fin... Au bout d'un moment d'ailleurs, comme à chaque fois que l'on maîtrise parfaitement une attitude psychologique, cela devient une seconde nature : « Vous n'avez pas à accepter les choses : elles sont déjà là. » Il n'y a alors plus lieu de faire des *efforts* d'acceptation : elle est devenue une capacité intérieure, discrète et silencieuse. Et nous nous sentons bien plus forts ainsi.

L'acceptation comme un détour

L'acceptation nous apprend à suivre le meilleur chemin pour arriver là où nous voulons aller. Et cette voie n'est pas forcément la ligne droite. Comme lors d'une randonnée en montagne : ce serait une mauvaise idée de vouloir monter tout droit vers le sommet. On suit plutôt les sentiers qui serpentent en épousant les flancs de la montagne. Sans renoncer à arriver en haut. Nous acceptons la pente et les détours mais nous marchons vers le sommet.

« ACCEPTEZ ! CAR IL N'Y A RIEN D'AUTRE... »

Svâmi Prajnânpad, *L'Expérience de l'unité*

De même, de nombreux efforts psychologiques ne peuvent être correctement conduits que par la voie de l'acceptation.

Par exemple, la confrontation à des pensées d'échec («Je n'y arriverai pas»). Il n'est pas toujours efficace de les combattre tout de suite par le volontarisme («Si, je dois y arriver!») ou la rationalisation («Il n'y a pas de raison que je n'y arrive pas!»). Sinon, on n'apprendra jamais à tolérer ces pensées d'échec en nous (et mieux vaut apprendre à leur désobéir qu'à essayer de les supprimer). Et donc, elles garderont leur pouvoir de déstabilisation. De surcroît, on n'aura finalement pas accepté l'idée que l'échec est toujours une possibilité. Le détour par l'acceptation aura, au contraire, un effet souvent éclairant et paradoxalement apaisant: «Je sais, j'accepte, je ne suis pas sûr que ça marche. Mais j'en ai quand même envie. Alors je vais faire de mon mieux, puis nous verrons bien...»

La pleine conscience nous apprend à faire ce détour par l'acceptation: accepter l'idée de l'échec, observer son impact sur mes émotions, ne pas l'alimenter ni lui donner de l'énergie en la combattant ou en la repoussant, mais la laisser sédimenter en moi, en continuant de respirer et de garder mon attention la plus ouverte et vaste possible, en restant en pleine conscience. Puis revenir à l'action, qui sera souvent le seul moyen pour vérifier jusqu'où cette idée d'échec était pertinente, ou ne l'était pas.

Tirer ensuite les leçons de l'action, s'il y en a. Et continuer de vivre.

L'acceptation comme une sagesse

«Un bon endroit où chercher la sagesse est, par conséquent, là où vous vous attendez le moins à la trouver : dans l'esprit de vos opposants.» Juste et vrai, n'est-ce pas? Mais pour cela, il faut les avoir écoutés, ces opposants, et leur avoir donné le droit d'exister (nous qui rêverions de n'avoir que des «approuvants»). Alors leur avis deviendra une richesse, et une chance pour devenir plus intelligents.

L'acceptation nous permet aussi d'intégrer la dimension tragique du réel, sans faire pour autant de notre vie une tragédie : on ne nie pas les aspects douloureux ou injustes de l'existence, mais on leur fait une place. Pas *toute* la place : on en garde aussi, bien sûr, pour ce qui est beau et bon.

Comme le mot «acceptation» dérange, comme beaucoup entendent «résignation», on lui a cherché des remplaçants. Le philosophe Alexandre Jollien propose par exemple «assomption». Outre sa signification chrétienne (la fête de l'Assomption désigne le miracle de l'enlèvement de Marie par les anges, pour être conduite au Ciel), ce mot renvoie aussi étymologiquement à «l'action de prendre», d'assumer et finalement d'accepter.

D'autres parlent d' «expansion» : de fait, il s'agit bien de faire de l'espace en soi, inlassablement, même pour ce qui nous dérange et nous déplaît. Ne jamais nous y résigner, mais ne jamais nous y accrocher négativement par le rejet. Le rejet et l'antipathie, comme la peur, engendrent la dépendance et la vulnérabilité. Alors oui, faire cet espace en soi, inlassablement, et diluer nos tourments et antipathies dans un contenant infini. Plus nous sentirons en nous de la raideur et du rejet envers ce qui nous arrive, plus nous aurons intérêt à nous tourner vers une conscience vaste et sans objet : accueil de tout.

L'acceptation, finalement, suppose un choix paradoxal : celui de ne pas choisir ! De ne rien rejeter, de ne rien éliminer. Même le «pas désirable», le «pas bon», le «pas beau», le «pas bien»... On décide, à l'inverse, de tout accueillir, d'héberger ce qui passe et ce qui est. Par l'acceptation, on ouvre un espace intérieur infini, parce qu'on a renoncé à tout filtrer, à tout contrôler, à tout valider et mesurer et juger. En ce sens, accepter, c'est s'enrichir et laisser le monde entrer en nous, au lieu de vouloir le faire à son image, et n'en prendre que ce qui nous convient et nous ressemble. C'est ce que disait à sa manière étrange Thérèse de Lisieux : «Je choisis tout.»

LEÇON 14

Accepter ce qui est rend plus serein et plus intelligent. Et donc plus capable de changer ce qui doit l'être. Voilà pour la déclaration d'intention. Ensuite, il y a évidemment les travaux pratiques, sans lesquels tout cela n'est que vent et vaines paroles. Tous nos petits agacements quotidiens sont de merveilleuses occasions de travailler l'acceptation. Tu es dérangé, contrarié, abattu ? D'abord, respire et prends conscience de tout ce qui est là : la situation et son impact sur toi. Constate ensuite que c'est déjà là. Impossible d'effacer ? Alors accepte. Enfin, vois ce qu'il y a lieu de faire ou de penser. C'est simple à comprendre et pourtant cela fait plus de deux mille ans qu'on nous le répète. Sans doute parce qu'il ne suffit pas de le comprendre, mais qu'il faut s'y entraîner chaque jour. Ce qui est moins prestigieux et moins savoureux que les grands discours et vastes maximes, mais plus efficace.

« CELUI QUI VOIT LE MOMENT
PRÉSENT VOIT TOUT CE QUI S'EST
PRODUIT DE TOUTE ÉTERNITÉ
ET CE QUI SE PRODUIRA DANS
L'INFINITÉ DU TEMPS. »

Marc Aurèle, *Pensées pour moi-même*

3

TRAVERSER
LES TEMPÊTES :
LE REFUGE DE
L'INSTANT PRÉSENT

SE LIBÉRER
DE SES PRISONS
MENTALES

Nos douleurs, petites et grandes,
tendent à nous emprisonner et
à nous asservir. Elles réduisent notre
vision du monde à un seul horizon :
la souffrance. Et à une obsession :
ne plus souffrir. Quand on a très mal
aux dents, il n'y a plus rien d'autre
que le mal aux dents. Quand on a un
chagrin d'amour, plus rien d'autre que
le chagrin d'amour. Mais c'est la même
chose si l'on perd ses clés ou si l'on rate
son train, si on connaît un échec ou
une contrariété : notre esprit peut aussi
y être emprisonné et ressasser à l'infini
les petites douleurs des petits malheurs.
Que faire alors face au piège de nos
souffrances, lorsqu'on ne peut agir d'un
simple geste pour les écarter ?

La souffrance monopolise la conscience

Il y a d'abord la douleur, physique ou morale. Puis la souffrance, qui est l'impact de la douleur sur la conscience.

La souffrance est la part accessible de la douleur. La douleur en elle-même, qu'elle soit de l'esprit ou du corps, si elle est trop intense, nécessite un traitement médical, appelle un soulagement. Le travail psychologique ne viendra qu'après. Mais il devra venir, il devra être accompli, sinon ce sera l'éternel retour de la souffrance.

Car la souffrance tend naturellement à devenir le centre de gravité de notre conscience, un soleil noir autour duquel tout tourne en rond. L'espace de notre conscience semble se rétrécir autour d'elle, et il n'y a plus de place que pour la douleur, et plus rien d'autre. C'est ça, la souffrance : la douleur qui prend toute la place et empêche le reste des sensations ou des pensées de s'installer durablement. Toute l'énergie de notre esprit est absorbée et consommée par la douleur : plus rien d'autre n'existe.

Douleurs du corps

Beaucoup de nos douleurs physiques ne doivent pas être affrontées avec la seule force de notre esprit. Surtout ne pas avoir le moindre orgueil dans ce domaine : les antalgiques sont souvent ce qui sauvera notre dignité. Sinon nous deviendrions des bêtes de souffrance. Mais après ? Qu'est-ce qui peut nous aider à moins craindre la douleur, à moins nous enfermer dans la souffrance ? La pleine conscience peut-elle nous y aider ? Peut-être... Peut-être pouvons-nous mieux nous préparer grâce à elle. Sans attendre que la douleur soit là, en travaillant à l'avance, et sur des douleurs modérées.

Chez les pratiquants expérimentés de la méditation zen (qui est proche de la pleine conscience), on a montré de longue date que la résistance à la douleur était améliorée. On a récemment découvert que cette capacité est corrélée à des modifications de leur cerveau, et que cette *neuroplasticité* est liée au nombre d'heures de pratique. Une explication possible est que la méditation, par les positions immobiles prolongées qu'elle impose, avec leur cortège de crampes et autres sensations d'inconfort, représente une occasion de se confronter régulièrement et tranquillement à la gestion des sensations douloureuses minimes.

Je me souviens encore de la première fois que cela m'est arrivé en méditant, un matin, alors que je traversais une période un peu compliquée – rien de méchant, que de la petite adversité ordinaire, mais de la fatigue et du stress. Je m'installe sur mon banc et, en dix secondes, crampe sous le pied gauche. Fulgurante. Première réaction : bouger pour me soulager, rouvrir les yeux, changer de position ; ou même arrêter ma séance, après tout, j'ai tellement d'autres choses à faire, ce n'est pas le jour pour, en plus, en baver... Heureusement, mes patients me sauvent : nous en avons parlé la veille à l'hôpital, de ces histoires, lors du groupe de pleine conscience. Je m'efforce alors de considérer la pensée «Bouge, et puis même arrête, et va travailler» et de voir que ce n'est qu'une pensée, pas une nécessité. Je m'efforce de l'accueillir et de la prendre avec recul, comme un phénomène produit par mon esprit. Je fais le choix de ne pas mordre à l'hameçon et de ne pas bouger, désobéissant à mes automatismes («Tu ressens un truc pénible ? Écarte-toi !»). Alors, je décide, avant de bouger (l'envie est très forte), de prendre le temps d'examiner la douleur de la crampe. Elle est où, exactement ? Elle est stable ou variable ? Elle me pousse à faire quoi ? Et évidemment, en une minute, elle a disparu. Dissoute.

J'ai beau savoir que ça existe, je suis un peu étonné, presque émerveillé, que ça ait marché, là, ici et maintenant, dans mon propre corps. Toujours l'incroyable différence de nature entre *savoir* et

« LA TOURBE DES MENUS MAUX OFFENSE PLUS QUE LA VIOLENCE D'UN, POUR GRAND QU'IL SOIT. »

Montaigne, *Essais*

expérimenter. Deux univers bien plus éloignés qu'il n'y paraît... D'accord, ça ne marche pas tout le temps. Parfois, il faut vraiment réajuster sa position. Ou arrêter sa séance, si les douleurs sont trop puissantes. Méditer, ce n'est pas du masochisme. Mais quand on peut traverser une souffrance rien qu'en acceptant qu'elle soit là, sans réagir par de l'agitation mais juste par de la conscience, c'est toujours tellement impressionnant! Et réconfortant. C'est la rencontre entre théorie, intentions, discours, et réalité. Même un professionnel ne se lasse jamais de découvrir et redécouvrir cela! On se sent en règle, en sécurité et en cohérence : ça marche, je le sais, je l'ai fait...

Si la méditation est une aide pour affronter la souffrance, c'est aussi parce que l'apaisement de l'esprit est antalgique : notre cerveau passe son temps à filtrer de petits messages douloureux pour qu'ils n'importunent pas notre conscience sans arrêt. C'est ce qu'on appelle le « rétrocontrôle descendant ». Si nous sommes déprimés ou stressés, le cerveau fait moins bien ce travail, et nous avons davantage mal, partout. Si nous sommes apaisés, à douleur égale, nous ressentons moins de souffrance. Mais là encore, cet apaisement ne se décide pas un beau jour, lorsqu'on en a besoin ; il se travaille, bien en amont de la survenue de nos douleurs. On ne commence pas à tisser son parachute au moment où les moteurs de l'avion tombent en panne.

Est-ce que cela marche aussi pour les douleurs de notre esprit ?

Douleurs de l'esprit

En nous accrochant à nos pensées douloureuses, en les ruminant, nous les solidifions. Nous leur donnons du corps et de l'importance. Nous ruminons nos maux et nous en faisons des monstres.

La rumination, c'est la solidification du bavardage de l'esprit. D'une réaction banale nous faisons une souffrance. Sans le vouloir. Ainsi, dans nos moments de dépression ou d'anxiété, ce qui nous fait souffrir, au-delà de ce qui nous arrive, ce sont nos pensées et nos croyances, auxquelles nous adhérons et que nous rigidifions jusqu'à en faire des certitudes. Puis, nous nous attachons comme des mères à ces petits monstres que nous avons nous-mêmes engendrés. Une pensée négative ne nous fait pas mal si elle va et vient. Elle devient douloureuse si elle envahit notre conscience, s'enracine et empêche toutes les autres pensées de s'enraciner ou même d'exister. Et puis, sur le long terme, si on laisse tourner les ruminations trop longtemps dans notre esprit, elles créent des chemins, des voies de ruissellement de la détresse, qui seront très vite empruntés par les démarrages de détresse ultérieurs. D'où ensuite des «impulsions à aller mal», difficiles à contrôler, décourageantes, épuisantes.

Face à l'adversité quotidienne

Mais comment empêcher notre esprit d'aller vers ces souffrances, d'être polarisé par elles ? La seule solution est paradoxale : nous devons donner plus d'espace à la souffrance, pour desserrer son étreinte.

Sur nos détresses et nos souffrances du quotidien, la pleine conscience a un effet. Elle permet d'empêcher que nos soucis – qui le plus souvent sont des incertitudes préoccupantes – ne se transforment en certitudes ; et que nos émotions – qui sont des mouvements – ne se chronicisent et ne se durcissent en passions. Elle permet d'empêcher leur solidification. Elle aide à ne pas rester bloqué, encastré, dans un état mental douloureux.

Sous l'emprise de notre douleur, nous nous emprisonnons nous-mêmes, parfois sans le voir. Or, avant de se libérer de sa prison, il faut d'abord en voir les barreaux. Le premier pas, c'est d'accueillir la réalité de la détresse, d'accepter de la percevoir dans notre corps. D'observer les pensées associées. Et les impulsions qu'elles font naître. Nous n'aimons pas que cette détresse soit là, car elle nous fait mal et nous fait peur. Alors, la petite voix de la pleine conscience nous dit : « Reste avec ça. N'aie pas peur de rester avec ça à ta conscience. Vrai ou faux, ce n'est pas le problème. Le problème, c'est que tu sois capable d'héberger ce genre de souffrances, d'idées, de sentiments, d'états d'âme, sans t'effondrer, sans paniquer, sans te faire du mal...» Exactement ce que dit aussi un proverbe chinois : «Vous ne pouvez empêcher les oiseaux de la tristesse de voler au-dessus de vos têtes, mais ne les laissez pas faire leur nid dans vos cheveux. »

Pour ne pas être victimes consentantes de la rumination, il faut d'abord admettre qu'elle soit là ; ensuite, ne pas la laisser occuper seule tout notre espace mental. Accueillir d'autres invités dans notre esprit (déjà préoccupé par ses ruminations) : conscience de la respiration, des sons, du corps ; conscience aussi de toutes les autres pensées qui passent, disparaissent, reviennent... Pour restaurer le libre jeu de nos pensées, permettre leur fluidité, il faut de l'espace, encore de l'espace. Ne pas chercher à chasser nos ruminations ou à ne pas en avoir ; leur permettre au contraire d'être là, mais pas seules. Et les diluer dans un contenant plus vaste, pour que leur poids relatif soit moindre.

Puis respirer. Dans le jargon des instructeurs de pleine conscience, on parle de «respirer avec» et «respirer dans». Ce n'est pas une terminologie très élégante, mais elle est explicite. *Respirer avec* : on continue d'observer nos souffrances tout en plaçant doucement (et patiemment, car la souffrance revient toujours au milieu) notre souffle au centre de notre conscience. *Respirer dans* : on observe l'effet du souffle sur nos souffrances, comme si notre respiration les traversait. En s'entraînant souvent ainsi sur de petites souffrances, de petites adversités, peut-être serons-nous moins démunis le jour où de plus grandes surviendront. Peut-être...

Impermanence de nos souffrances

Au bout de tout cela, il y a la conscience et la pratique de l'impermanence. Qui nous rappelle que rien ne dure, que tout passe. Que s'accrocher en excès à la réalité est une erreur qui amplifie la souffrance. Qui nous chuchote aussi des conseils allant bien au-delà de la « gestion » de la souffrance. Nous avons tous l'espoir fou que ce à quoi nous sommes attachés – proches que l'on aime et biens que l'on possède – demeurera éternellement à nos côtés. De même, lorsque nous souffrons, désespoir aussi fou : nous avons la conviction que cette souffrance à laquelle nous sommes enchaînés sera, elle aussi, éternelle.

Mais rien ne demeurera. Ni nos jouissances ni nos souffrances. Ni attachements ni emprisonnements. Nous pouvons le comprendre. Nous devons l'expérimenter. En pleine conscience : observer nos objets d'attachement. Et entretenir avec eux un lien différent : pas de renoncement, mais de la fluidité. Ce qui est transitoire n'est pas forcément dérisoire, et il serait fou de prétendre se détacher de tout. Il s'agit juste d'observer comment il est possible de tout traverser, de tout accueillir sans trop s'attacher, et de continuer de vivre et de savourer.

LEÇON 15

Une des grandes sources de nos souffrances est le manque de conscience : ne pas réaliser que nous déformons la réalité et adhérer ensuite de toutes nos forces à cette réalité déformée. Les psychothérapeutes parlent de *distorsions* et de *ruminations*. Et ils savent qu'il faut, d'une part, prendre conscience rapidement que notre esprit se fait piéger ; d'autre part, se désengager de ces pièges. Parfois, on a pourtant beau savoir que l'on se fait du mal, on ne peut se détacher de nos fixations. Le message de la pleine conscience est simple : si c'est trop difficile, alors je renonce à expulser les pensées ou sensations douloureuses qui m'envahissent par la volonté, et j'élargis plutôt le champ de la conscience à tout le reste de mon expérience de l'instant présent. Ne pas laisser tout l'espace mental à mes souffrances, et les diluer dans le plus vaste contenant possible : ma conscience élargie à l'infini.

LÂCHER PRISE

C'est une patiente qui me raconte une anecdote survenue après son travail dans nos groupes de méditation : « J'étais chez le dentiste, et j'essayais de faire un peu de pleine conscience pendant les soins. J'ai réalisé à quel point j'étais raide, tous les muscles de mon corps crispés, agrippée aux accoudoirs de toutes mes forces, la respiration bloquée. J'ai réalisé aussi que ça durait depuis vingt ans, cette histoire : attente de la douleur, peur de la douleur, surveillance de la douleur, rumination de la douleur... Alors je me suis dit que j'allais tenter autre chose : pas me relaxer ou penser à des trucs agréables, car j'avais

essayé et ça ne marchait pas chez
moi. Juste accepter que ma peur soit
là, mais me rendre aussi présente
à tout le reste. Quand j'ai eu mal,
je me suis dit : OK, ça fait mal, reste
dans le réel, dans la seule douleur,
ne repars pas tout entière dans la
peur, lâche les accoudoirs, essaye
plutôt de respirer, relie-toi à tout ton
corps, pas seulement à tes dents.
Eh bien, c'était beaucoup mieux.
J'ai eu quand même mal, mais
seulement par moments, pas tout
le temps. C'est vraiment étrange
– et magique – la manière dont notre
cerveau fonctionne, vous ne trouvez
pas ? » Si, si, je trouve, moi aussi…

Ne pas se débattre

Lorsque nous avons des difficultés, nous tentons de les résoudre. Nous tentons de les écarter, de les modifier ou de les fuir. Mais il y a des difficultés pour lesquelles ces efforts ne marchent pas : si les problèmes sont en nous (nos pensées ou nos émotions), ou s'ils sont inaccessibles (certaines adversités), ou s'ils n'existent pas encore (nos anticipations). Alors, parfois, il faut juste cesser de s'agiter et de se débattre. Renoncer à nos habitudes face à toute douleur, et admettre qu'elles ne font que compliquer plus encore certaines situations, les rendre plus confuses et douloureuses.

Lorsque vous marchez dans l'eau sur un sol sablonneux, de petits nuages de sable se soulèvent. Vous voulez que l'eau autour de vos pieds redevienne claire ? Vous savez qu'il est inutile de vouloir aplatir les nuages de sable avec vos pieds ou vos mains :

« OÙ EST DONC MA PEINE ?
JE N'AI PLUS DE PEINE.
CE N'EST QU'UN MURMURE
AU BORD DU SOLEIL. »

Paul Fort, « Chanson à l'aube »

vous ne ferez qu'en soulever d'autres. Et, plus vous essaierez, plus il y aura de nuages de sable et plus l'eau sera trouble. Pas d'autre solution que de vous arrêter, de permettre aux nuages de sable d'être là, et d'attendre qu'ils retombent. Et d'observer à nouveau l'eau claire autour de vos pieds... Les nuages de sable sont les expériences de vie douloureuses. La pleine conscience nous recommande, pour y voir plus clair, de prendre un moment pour cesser de vouloir les contrôler, et de juste les regarder se déposer d'elles-mêmes au fond de l'eau...

La philosophe Simone Weil écrivait ainsi : « Essayer de remédier aux fautes par l'attention et non par la volonté. [...] La supplication intérieure est la seule raisonnable car elle évite de raidir les muscles qui n'ont rien à voir dans l'affaire. Quoi de plus sot que de raidir les muscles et serrer les mâchoires à propos de vertu, de poésie ou de solution d'un problème ? »

Alors, si c'est non pas l'action mais l'attention qui est la solution, vers quoi la tourner, lorsque nous sommes coincés, comme enlisés au milieu d'un fleuve ? Ne plus chercher à avancer, ne plus pouvoir reculer, mais que faire ?

S'arrêter pour respirer

Face aux souffrances, aux détresses, commencer par respirer.

En général, on préfère ruminer ou se tourmenter ; cela nous paraît plus digne et plus réaliste ou plus efficace, quand on est dans ses soucis. Quelque temps après, on comprend que c'était absurde, bien sûr, de s'être tant inquiété. Mais trop tard ; et, en général, on préfère oublier. Penser à autre chose. En attendant les ennuis suivants, avec lesquels tout recommencera exactement comme avant.

Alors, la pleine conscience nous propose de respirer, de travailler sur notre souffrance lorsqu'elle est là. À ce moment, ne chercher ni à la supprimer, ni à la résoudre, ni même à se sentir bien : juste rester là avec son souffle, comme avec un vieil ami qui ne sait pas encore quoi nous conseiller, mais qui est avec nous, qui reste à nos côtés. Et sa présence, sa belle présence, est peut-être plus importante, finalement, que le problème lui-même...

Notre respiration, en pleine conscience, va avoir peu à peu un effet émollient. Là où la rumination solidifie nos pensées et émotions désagréables, la pleine conscience les ramollit, comme la flamme d'une bougie ramollit la cire. Portons nos expériences désagréables à la lumière et la chaleur de la pleine conscience. Même si nous nous sentons fragiles et démunis, même si nous savons que cela ne changera pas le problème. Pourquoi vouloir *commencer* par changer le problème ? Et si parfois nous commencions par changer notre réaction au problème ?

Le refuge de l'instant présent

Lorsqu'on s'arrête pour respirer, même si tout est douloureux autour de nous, on peut se sentir comme dans un refuge. Tel un bateau dans un port ou une baie au cours d'une tempête : tout continue mais on est à l'abri ; un abri imparfait et transitoire, mais un abri. En respirant, on comprend qu'on est vivant, que c'est l'essentiel, que le reste peut attendre, au moins quelques instants.

Prendre refuge dans l'instant présent, ce n'est pas avoir résolu le problème, ni trouvé une solution. Non, les problèmes continuent et la solution ne jaillira pas du souffle ; encore faudrait-il qu'elle existe, d'ailleurs... Les problèmes continuent mais on a trouvé un lieu sûr d'où les observer, sans être obligé de se débattre par peur de finir submergé ou noyé.

Respirer dans l'adversité, c'est placer notre esprit dans un refuge. Pas pour fuir la réalité, pas pour agir, mais pour choisir d'y voir plus clair, choisir de laisser de l'espace au calme, choisir de laisser une chance à notre intelligence. Quoi que je fasse, quoi que je pense, le problème est là, il est déjà là. Mais, moi, je suis vivant, je suis présent. Et du mieux que je peux, je vais continuer de l'être. Respirer... Bientôt quelque chose aura changé ; je dois juste accepter de ne savoir ni quoi ni quand.

LEÇON 16

Lâcher prise, c'est quoi ? Ce n'est pas fuir le réel par la distraction (« Allez, change-toi les idées ») ou l'autopersuasion (« Détends-toi, tout ira bien ») : ça, nous savons déjà le faire, et parfois d'ailleurs, ça marche. Mais pas toujours. Non, lâcher prise, c'est autre chose, de bien utile aussi : c'est rester là, présent, dans une attitude mentale particulière. Rester là en renonçant à contrôler, à trouver une solution. Mais rester là. Faire confiance à ce qui va arriver. Sans naïveté, mais avec curiosité, avec attention. Comme un nageur qui cesse de s'opposer à un courant plus fort que lui, et se laisse porter par le cours du fleuve, observant la situation. Il ne s'agit pas de passivité mais de présence.

RESTER PRÉSENT AU MONDE

Si nous avons de *petits* soucis, nous sommes en *petit* retrait du monde : absorbés, distraits, préoccupés, nous n'occupons plus le monde qu'à moitié ; nos proches nous disent que nous sommes « ailleurs ». Notre corps est là, mais notre esprit n'y est pas. Lors de très grandes douleurs, comme celle du deuil, il y a alors pour nous un risque bien plus grand : quitter totalement le monde. Pas seulement en se donnant volontairement la mort, mais en laissant mourir et partir notre esprit, en basculant dans les limbes du chagrin, en devenant fantôme, zombie. Nous quittons alors le monde parce qu'il nous semble ne plus être fait pour nous ; il n'est plus qu'une source de douleurs et d'offenses infligées à notre deuil. Pourtant c'est de lui que viendra, toujours, notre renaissance.

Ne pas perdre le monde

La douleur commence toujours par prendre toute la place. Elle envahit notre conscience, ou c'est nous qui nous recroquevillons sur elle. Surtout lors des deuils et des manques : la douleur est reliée à ce que nous avons perdu, et ne plus souffrir, c'est perdre encore plus. Alors, dans le mouvement de repli sur la douleur, il y a à la fois la quête d'une «position antalgique» comme disent les médecins, et aussi un accrochage à ce qui nous reste encore. Mais en réagissant ainsi, par le repli sur nous, notre mal et nos souvenirs, nous sommes en danger : nous sommes sortis du monde. La philosophe Simone Weil parle du «degré de douleur où l'on perd le monde». Comment, au bout d'un moment, revenir vers lui ? Comment accueillir notre souffrance, sincèrement, puisque nous ne pouvons, et parfois ne voulons pas la chasser, sans cesser de rester en contact avec le monde qui nous entoure ?

Pour que la grande douleur ne nous entraîne pas un jour hors de la vie, nous avons à commencer par l'accueil des petites douleurs. Rester dans le monde lors des abattements et découragements du quotidien. Travailler sur les petites tristesses pour essayer de préparer tant bien que mal le fracas des grandes.

D'abord, élargir notre conscience

Faire que la souffrance ne soit pas seule, que toute notre attention ne soit pas focalisée et recroquevillée sur elle, mais que d'autres éléments existent aussi à notre conscience. Faire une place pour notre respiration. Pour nos sensations corporelles. Les sons qui nous entourent.

Agrandir le contenant, ne pas laisser la douleur occuper tout l'espace de notre conscience. Inviter, inviter en nous tous les bouts de vie qui passent à notre portée. Puis observer nos pensées. Focalisées, elles aussi, sur la douleur. S'asseoir, fermer les yeux, respirer et prendre alors le temps de voir vers quoi nous pousse notre détresse : vers quels replis, vers quels isolements. Continuer de respirer, de ressentir, d'exister. Ne pas bloquer sa respiration pour ne pas bloquer sa vie autour de la tristesse et de la souffrance. Certaines tristesses seraient passées toutes seules ? Oui, sans doute. Peut-être aussi vite qu'avec cette démarche. Mais une souffrance digérée en pleine conscience n'aura pas laissé le même sillon pour la prochaine souffrance. Elle ne sera alors qu'un souvenir désagréable, et non une petite bombe à retardement.

Consolations

La solitude de la souffrance est réelle et absolue : personne ne peut souffrir à notre place, personne ne peut prendre une once de notre douleur. Alors, c'est impossible de nous aider? Il n'y a pas de consolation possible?

Non, c'est plutôt que nous ne pouvons pas, nous ne voulons pas écouter la consolation. En général, nous n'écoutons pas les consolations, parce que nous sommes persuadés d'avance qu'elles ne servent à rien. C'est vrai qu'elles ne servent à rien, si ce que nous voulons c'est que tout revienne comme avant, que le problème disparaisse : que l'accident n'ait pas eu lieu et que les morts revivent. Si ce que nous voulons, c'est une réparation, la consolation ne sert à rien. Mais si nous arrivons à comprendre que toute réparation est impossible, et qu'il n'y a pas de solution à notre souffrance, alors la consolation, si nous arrivons à l'écouter, nous apprendra autre chose : qu'il continue d'exister,

« DÉVELOPPE UN ESPRIT QUI SOIT VASTE COMME L'ESPACE, OÙ LES EXPÉRIENCES AGRÉABLES ET DÉSAGRÉABLES PEUVENT APPARAÎTRE ET DISPARAÎTRE SANS CONFLIT, LUTTE OU DOULEUR. DEMEURE DANS UN ESPRIT VASTE COMME LE CIEL. »

Bouddha, *Majjhima Nikaya*

à côté de nos souffrances, une vie prête à nous accueillir.

Et si nous faisons ces efforts, nous découvrirons que, derrière les consolations, il y a la compassion. Elle n'est pas un médicament de la catastrophe, juste une bouée, un encouragement à vivre malgré tout. Mais elle élargit notre conscience au fait qu'il y a aussi de l'amour et de l'affection autour de nous. Elle nous délivre un message humble : parfois, tout ce qui reste possible à nos proches, c'est l'impuissance et la présence. Ils sont impuissants à *réparer*, mais présents pour nous rappeler de rester vivants et humains : ne deviens pas un animal de douleur, ne te détruis pas, ne te durcis pas, ne quitte pas le monde. Reste vivant...

Continuerons-nous de pleurer ?

La vie est une offense lorsque nous sommes endeuillés. Bien évidemment, elle doit continuer, partout ailleurs. Mais pour nous, que faire ? Renoncer pour toujours à vivre et à savourer ? Ou continuer de le faire en le faisant pour deux ? Continuer d'admirer la course du soleil et des nuages, la beauté du ciel, de la terre et de la mer, le vol et le chant des oiseaux ? Ou choisir de rester prostré et de pleurer pour toujours ?

Plutôt vivre, et faire vivre le souvenir. Continuer de vivre et d'admirer. Que faire d'autre ? Et ne pas chercher à étouffer ou à réprimer son chagrin. Quand il vient, ouvrir juste son esprit au ciel immense. Rester présent de toutes ses forces au spectacle du monde. Ne pas craindre non plus d'héberger son chagrin au cœur même de son bonheur. Voir ce que voyait la personne disparue. Ressentir ce qu'elle ressentait. Respirer pour elle. Sourire pour elle. Pour elle, aimer le monde.

Cette vie qui continue, cette vie qui t'offense, c'est elle qui sera ta planche de salut. Tout est là. L'âme qui est partie est là aussi. Et elle vit encore. À cet instant. Avec toi.

LEÇON 17

Quand on souffre beaucoup, qu'on est très malheureux, on se coupe du monde. On ne lui trouve plus d'intérêt, et il nous semble indifférent, presque offensant. Mais il va pourtant, à sa manière, nous aider, puis nous sauver. Plus on souffre et plus on doit s'assurer de rester en lien avec tout ce qui nous entoure. La souffrance est toujours aggravée et prolongée par la rupture et l'éloignement, la rétraction sur nous-mêmes. Entraînement : lorsque je me sens malheureux, continuer de rester sensible à la beauté du monde. Même si elle ne me soulage pas, même si elle ne m'aide pas tout de suite. À un moment, tout basculera et elle me sauvera.

AVANCER, MÊME BLESSÉ

Ce qui ne nous tue pas nous rend plus fort : c'est très beau, en théorie. Mais en pratique, ce qui ne nous a pas tué – mais qui aurait pu – nous laisse souvent un peu cabossés ou éclopés. Souvent un peu plus fragiles. Mais pas forcément plus faibles. Ce qui est faible, c'est ce qui manque de force. Ce qui est fragile, c'est ce qui se casse facilement. Après une épreuve, les coups nous font plus mal qu'aux autres. Et nous laissent dans le doute. Que ferons-nous lorsque de nouvelles adversités ressurgiront ? Allons-nous nous briser ? Allons-nous, pour l'éviter, nous immobiliser, nous recroqueviller, vivre en retrait du monde ? Ou bien saurons-nous avancer quand même, différemment, plus prudemment ?

Blessures cachées

Il y a les blessures physiques, visibles. Et il y a les blessures de l'âme, les fragilités issues des carences ou des drames du passé, invisibles mais inscrites dans nos esprits et dans notre chair. Quelquefois conscientes, quelquefois dormantes, ces fragilités font de nous des humains entre deux mondes : l'apparente normalité et l'anormalité secrète.

Longtemps, nous avons rêvé qu'elles n'existent pas, ces blessures, ces faiblesses. Puis nous avons rêvé qu'elles disparaîtraient peut-être : avec la vie, avec l'amour, avec le temps. Et aujourd'hui, malgré les efforts et les années, nous devons nous l'avouer : elles sont encore là. Pour longtemps. Peut-être pour toujours. Alors, nous apprenons à les oublier, à ne plus y penser, à faire comme si. Et ça marche, en général. Puis, de temps en temps, sous l'effet des secousses du stress ou de la tristesse, tout se réveille, les fantômes ressortent du placard.

Le réveil des vieux démons

Lorsqu'on a souffert de dépression ou d'anxiété, ou d'autres troubles émotionnels, les cicatrices sont dormantes. Nous ne sommes finalement qu'en rémission. Parce que le temps a passé, parce que nous avons changé. Parce que la vie s'est adoucie. Mais lorsqu'elle se durcit, alors les failles se rouvrent, et revient le sentiment qu'on pourrait très bien s'effondrer, comme ça, devant tout le monde. Ces instants où nous sommes de nouveau aspirés du côté de tout ce qui ne va pas en nous sont des croisements : nous pouvons encore agir et faire face. Bien plus que nous ne le pensons.

C'est pour cela qu'on a importé les pratiques de méditation de pleine conscience dans le monde de la psychothérapie : pour favoriser ce qu'on appelle la «prévention des rechutes». Les thérapies traditionnelles, comme la psychanalyse, et leur réflexion approfondie sur les sources de nos souffrances, n'y suffisaient pas. Les thérapies plus nouvelles, comme les thérapies cognitives et comportementales, y arrivaient un peu mieux, mais imparfaitement. Alors, on a proposé d'ajouter le travail de la pleine conscience à toutes ces démarches et à toutes ces solutions. Il semble à ce jour que cela soit une bonne idée : chez celles et ceux qui pratiquent la pleine conscience, les rechutes semblent plus espacées, moins violentes.

« NE PAS CHERCHER
À NE PAS SOUFFRIR NI À MOINS
SOUFFRIR, MAIS À NE PAS ÊTRE
ALTÉRÉ PAR LA SOUFFRANCE. »

Simone Weil, *La Pesanteur et la Grâce*

Prendre conscience de la réactivation des pensées de détresse, sous l'effet des pressions et des bousculades du quotidien, permet de ne pas leur obéir, ou pas totalement. Et de faire un vrai choix : celui de les entendre et de passer outre. Celui d'avancer et de faire des efforts, même si elles nous murmurent que c'est inutile, même si elles nous disent que c'est au-dessus de nos forces, même si elles nous hurlent d'arrêter de faire ces efforts. Surtout ne pas leur obéir. La pleine conscience nous aide à ne pas nous laisser intimider par ces ordres venus du fond de nous-mêmes. En la pratiquant lorsque nous n'allons pas bien : nous plaçons nos découragements et inquiétudes dans un espace de pleine conscience. Mais en pratiquant aussi lorsque nous n'allons pas trop mal : nous affrontons les vaguelettes pour mieux faire face aux tempêtes...

Mètre après mètre, instant après instant

Et puis, ne pas rester les bras baissés. Il y a des alliés à la pleine conscience : l'action, par exemple. On peut faire comme lors d'une marche épuisante, quand nous saisit la tentation de l'arrêt, alors que s'arrêter n'est pas possible : baisser doucement la tête, et avancer pas après pas, mètre après mètre. On peut agir et avancer même si on n'est pas sûr que ce soit utile, même sans certitude, et désobéir aux ordres d'impuissance qui déferlent. Sentir ces vieux automatismes surgis du passé qui tentent de reprendre le pouvoir. Et continuer quand même.

Surtout, ne pas se couper du monde. Relever la tête, s'imprégner de tout ce qui existe autour de nous. Voir l'assaut des pensées de découragement et d'effondrement, mais ne pas rester enfermé avec elles en dedans de soi : ouvrir en grand les portes et les fenêtres du mental sur le monde qui nous entoure.

LEÇON 18

Parfois, on va tellement mal qu'on doit se réfugier
dans l'action seule, redevenir des bestioles,
produisant inlassablement des efforts pour survivre.
Sans réfléchir. Parce qu'on sait bien que la réflexion
sous l'emprise du malheur peut produire encore
plus de malheur et d'aveuglement. Alors, juste
agir : savoir en gros ce qui est bon ou nécessaire
pour nous, tout de même, c'est-à-dire avoir un peu
réfléchi avant ! Puis agir, avec une humilité totale.
Le faire parce qu'on sait que cela va nous aider à
survivre. Aller marcher, jardiner, ranger, bricoler,
travailler. Agir non pas pour s'évader, se réjouir
ou se sentir soulagé, mais parce qu'on ne peut rien
faire d'autre et parce que, si on ne fait rien,
on coule. Ce n'est ni drôle ni valorisant, mais
il y a aussi des moments comme ça dans nos vies.

CONSENTIR AU MYSTÈRE

La vie nous confronte souvent
à bien plus grand que nous, à de
l'incompréhensible, du déstabilisant,
de l'abyssal. Lorsqu'il s'agit de beauté
ou de grandeur, nous pouvons admirer,
même avec un petit frisson. Lorsqu'il
s'agit de violence ou de malheur,
que faire? Que faire lorsque nous
ne comprenons plus rien à la tempête
qui se déchaîne sur nous et dans notre
vie? Accepter de ne pas comprendre
et d'être impuissants? Nous
le sommes. Accepter d'être perdus?
Nous le sommes aussi. Pas forcément
perdus pour toujours, mais perdus
pour l'instant. Nous n'aimons pas
du tout accepter cela, mais
avons-nous le choix?

Bousculés, aveuglés et humains

Nous ne sommes jamais sûrs de rien. Et un beau jour, nous pouvons être submergés et suffoqués, dépassés par la violence d'une épreuve qui nous tombe sur la tête. L'expérience du désespoir est aveuglante : elle rétrécit notre vision et notre horizon au seul déluge d'adversité qui s'abat sur nous. Elle est aussi déshumanisante : nous devenons des animaux de douleur, des aliénés de la souffrance. Plus aucun lien avec le monde n'est possible : les grandes douleurs isolent, bloquent et figent. Elles entraînent une noyade intérieure en plus des drames extérieurs. Et des vies fracassées au-dedans comme au-dehors.

Alors, de toutes nos forces, il est important de rester des humains sensibles. De se raccrocher à notre humanité, à ce qui la réveille autour de nous : la nature, la beauté. Encore et toujours ouvrir notre esprit à autre chose que nos souffrances. Pas pour masquer l'adversité, pas pour l'oublier, mais juste pour qu'elle ne règne pas en maître absolu dans notre esprit comme dans notre vie. Comme dans ce passage du livre d'un rescapé du camp de Dachau, le psychiatre autrichien Viktor Frankl : « Il arrivait, tel soir où nous étions couchés sur le sol en terre battue de la baraque, morts de fatigue après le travail de la journée, nos gamelles de soupe entre les mains, que, tout d'un coup, un camarade entre en courant, pour nous supplier de sortir sur la place d'Appel, uniquement pour ne pas manquer, malgré notre épuisement et malgré le froid du dehors, un merveilleux coucher du soleil...» Ce ne sont pas des fuites, ni des mécanismes de défense psychologique pour échapper à l'horreur. Ce sont juste des actes de conscience et de suprême intelligence : au moment où les flots de la mort les entourent, ces humains tournent leur esprit vers ce qu'il y a aussi de beau dans le monde. Ils traversent l'impuissance, sont égarés et dépassés. Mais ne renoncent pas à leur humanité.

«Trois capacités négatives»

Dans une célèbre lettre qu'il adresse à ses frères le 22 décembre 1817, le poète anglais John Keats les incite à cultiver ce qu'il nomme des «capacités négatives». Il y voit une forme de maturité et d'achèvement psychologique : «Plusieurs choses s'emboîtèrent dans mon esprit et, à l'instant, je fus frappé par la qualité qui contribue à former un homme accompli, particulièrement en littérature et que Shakespeare posséda si grandement – je veux parler de la capacité négative, lorsqu'un homme est capable d'être dans l'incertitude, les mystères, les doutes sans courir avec irritation après le fait et la raison.»

L'incertitude, le mystère et le doute... Comment cultiver la capacité à tolérer en soi la perte de contrôle et de repères, sans vouloir aussitôt se raccrocher à du concret et du rationnel?

Tolérer l'incertitude? L'incertitude est source d'angoisses : toute forme d'anxiété peut être au fond ramenée à une intolérance à l'incertitude ; et c'est pourquoi l'avenir et la mort nous tourmentent, puisque ce sont les deux plus grandes incertitudes. Nous essayons dans nos vies de limiter ce qu'il y a d'incertain : en prenant des assurances et des précautions, en procédant à de multiples vérifications ; avec le risque de nous épuiser ainsi en protections, de barricader notre vie. Nous tentons de remplir notre esprit de certitudes. Mais sans vraiment nous rassurer : nous savons bien, au fond de nous, que c'est vain, tous ces efforts ; que nos incantations et nos supplications ne sont que de pauvres gesticulations. Car la vérité est la suivante : il y a dans nos vies des problèmes insolubles et nous devons les accepter. Les accepter, puis ne pas nous crisper sur eux. Continuer de vivre et d'avancer, avec cet insoluble dans la besace.

Tolérer le doute? Tolérer de ne pas savoir que penser, ni que faire? Renoncer à ce besoin de se raccrocher à des jugements ou à des actes, au prêt-à-penser inefficace mais rassurant? Renoncer à choisir, ou renoncer à ce que nos choix soient à coup sûr les bons? Souvent, il n'y a pas, pour nous, d'autre solution que de se dire : « Je ne sais pas, je ne peux pas savoir, je ne peux que douter. » Mais que ce doute ne nous empêche pas de choisir et d'agir s'il faut le faire. Ni de vivre ensuite, autrement que dans de nouveaux doutes encore, portant non plus sur le *que faire?* mais sur le *ai-je bien fait?*

Tolérer le mystère? Tolérer quelque chose d'incompréhensible, qui nous dépasse? Cela nous paraît un peu plus facile, car nous sentons que le mystère, c'est hors de notre portée. Alors, on l'accepte mieux. Mais le mystère n'est pas le chaos: derrière lui, il existe peut-être une logique, une solution, un sens. Alors, on se questionne. À l'infini. Dans le mystère du malheur, de la souffrance, de l'injustice, il n'y a souvent que des questions: pourquoi? Et pas de réponses. Ça vaut mieux. Parce que, lorsque les réponses arrivent, elles sont dangereuses, elles sont de fausses certitudes durcies dans le bain du malheur: «Je suis maudit, incurable et il n'y a pas d'issue.» Mieux vaut pas de réponse que ce genre de réponses. Et mieux vaut peut-être, dans certaines détresses, apprendre à ne pas se poser de questions dans le feu de la souffrance.

Mieux vaut, peut-être, respirer et ouvrir son esprit.

L'instant présent et le chaos

Que pouvons-nous faire dans l'adversité et l'impuissance, lorsque toutes nos ressources et façons de faire habituelles ont échoué? Nous réfugier dans l'instant présent. Nous entraîner à héberger le sentiment de ne pas savoir, de ne pas pouvoir, de ne pas comprendre. Observer comme il est inconfortable. Comme il tente de nous suffoquer d'ondes de détresse et d'impulsions désordonnées : « Secoue-toi, fais quelque chose, ne reste pas comme ça. » Cultiver et développer notre tolérance à cette expérience. Comme lorsque nous écoutons un ami : il faut savoir, à certains moments, l'écouter sans se sentir obligé de résoudre ses problèmes ou de trouver des solutions pour lui. Il s'agit de se libérer de cette *pression de la solution* qui risque de nous faire mal l'écouter. Faisons de même lorsque nous nous penchons sur nos propres soucis : envisageons doucement dans quel état nous nous trouvons, ici et maintenant, avant de nous crisper sur la nécessité de prendre le contrôle ; cela viendra plus tard...

Il est important aussi de bien voir ce renoncement à comprendre et à maîtriser comme une libération et un choix, non comme une défaite et une obligation. Renoncer à maîtriser, vraiment, et non renoncer en gémissant, en regrettant. Renoncer avec son mental et avec son corps. Renoncer corps et

« LA VÉRITÉ EST UNE TERRE SANS SENTIERS. »

Tiziano Terzani, *Le Grand Voyage de la vie*

âme. Et non pas renoncer avec le corps (se *résigner* à ne rien faire) tout en gémissant avec l'esprit. Sentir combien ce renoncement est apaisant.

Attention : sans doute cette attitude ne doit pas toujours être première. Sans doute faut-il, parfois ou souvent, d'abord chercher des solutions. Mais si on n'en trouve pas ou si, malgré elles, tout revient et tout recommence, c'est que le chemin vers la sortie se trouve ailleurs.

Mon intelligence et ma raison sont des lumières pour éclairer et comprendre mes problèmes, pour m'aider à trouver des solutions. Mais, parfois, ces lumières ne suffisent pas et peuvent au contraire m'emprisonner et me dissimuler d'autres voies. Quand il brille, le soleil nous donne le sentiment de nous révéler l'intégralité de ce qu'il y a à voir ici-bas. Mais lorsqu'il s'enfuit et qu'arrive la nuit, nous comprenons tout à coup, devant l'immensité étoilée, qu'il y avait d'autres choses à voir, que nous masquait la lumière même du soleil.

LEÇON 19

Se trouver en position de faiblesse et d'impuissance, personne n'aime ça. Mais on n'a pas toujours le choix. Alors, peut-on s'y préparer ? Peut-être. En pratiquant les exercices de pleine conscience régulièrement, on sera, tout aussi régulièrement, confronté à un mental qui n'en fait qu'à sa tête, à des émotions ou des sensations qui nous font du mal. Mais en décidant de rester là, malgré tout, en restant dans l'exercice malgré l'inconfort et le désordre, on va acquérir une capacité précieuse : celle de tolérer ce sentiment d'être débordé et sans contrôle. Apprendre à rester là malgré la souffrance, ce n'est pas du masochisme. Ce n'est pas aimer souffrir, c'est accepter que cela puisse arriver dans le cours d'une vie. Et s'y être, un petit peu, préparé.

VOIR ÉMERGER DOUCEMENT LE BONHEUR

Il n'y a que deux vraies certitudes
dans nos vies : la première c'est
que nous allons mourir. La seconde
c'est que, pour le moment, à cet
instant, nous sommes en vie. Le reste
n'est qu'hypothèses et espérances.
De ces deux certitudes, découle une
conséquence, qui est aussi un effort
à conduire et à construire : vivre
heureux, de notre mieux, à chaque fois
que notre existence nous le permet.
Puisque nous allons mourir, restons
conscients de l'essentiel : n'oublions
jamais que nous sommes en vie.
Et laissons venir en nous le bonheur,
qui est une qualité émergente
de la pleine conscience, et
sa conséquence naturelle.

Le bonheur comme un acte de conscience

Tout commence par le bien-être. Avoir le ventre plein, être au calme, au chaud, sans menaces. C'est déjà parfait, c'est déjà merveilleux de se sentir ainsi. Ce bien-être élémentaire est commun à tous les animaux, à tous les vivants, dont l'être humain. Il est possible d'en rester là. Mais il ne s'agit pas vraiment de bonheur, car ce que l'on nomme bonheur va bien au-delà.

Si l'on prend conscience de ces instants de bien-être, si l'on se dit «Ce que je vis est une chance, une merveille, une grâce», alors il se passe autre chose. Alors, le bien-être se transcende en bonheur. Si j'ouvre mon esprit et si je savoure de toute ma conscience ce qui m'arrive de bon, si je me rends présent, alors l'impact sur moi de cet instant sera infiniment plus fort. Il dépassera le simple stade de la satisfaction de mes besoins physiques et psychiques. Il sera capable de satisfaire ou d'apaiser mes aspirations et mes démangeaisons métaphysiques : sens, appartenance, amour, paix, éternité...

Sans conscience, pas de bonheur. Ou alors, juste des bonheurs rétrospectifs, comme dans ce vers célèbre de l'écrivain et poète Raymond Radiguet : «Bonheur, je ne t'ai reconnu qu'au bruit que tu fis en partant. » Sans conscience du présent, nous regretterons les bonheurs passés que nous n'avons pas su vivre. Bonheurs mort-nés auxquels nous n'avons pas donné vie par notre conscience. C'est ce qui nous arrive quand l'existence nous bouscule, quand nous avons tant de choses à faire, que nous ne prenons pas le temps d'ouvrir les yeux sur toutes les propositions de bonheur qui croisent notre chemin. Ce qui nous arrive aussi lorsque nous sommes tristes ou inquiets : nous n'habitons plus le présent et notre esprit prend demeure dans l'inquiétude de l'avenir ou les regrets du passé. Et le bonheur, nous ne pouvons alors que l'espérer ou le pleurer, et non plus l'éprouver.

La pleine conscience peut nous aider à savourer plus intensément encore la multitude de *propositions* de bonheur que nous offrent nos journées. Si nous les traversons avec l'esprit ailleurs (dans nos projets, nos pensées, nos soucis), nous ne verrons rien et ne ressentirons rien. Si régulièrement nous ouvrons notre esprit et notre conscience à tout ce qui nous entoure, sans les chercher, nous les verrons. Sans le vouloir, nous serons touchés par leur grâce. Et souvent, nous serons heureux, même par petits bouts. Parenthèses de bonheur dans le cours de nos jours, légères, brèves, imparfaites et incomplètes, mais multiples, changeantes, vivantes et renouvelées. Vies saupoudrées de petites poussières de bonheur. Vies heureuses par petits morceaux : vies heureuses, simplement.

La conscience et le bonheur subtil

La prise de conscience, qui fait naître en nous le bonheur, est aussi ce qui va provoquer la peur de le perdre. Lorsque nous sommes heureux, nous avons clairement conscience que bientôt nous ne le serons plus : nous sommes des intermittents du bonheur, et ce dernier ne fera, tout au long de notre vie, qu'apparaître et disparaître. L'enjeu n'est pas de s'accrocher pour le retenir, de s'inquiéter ou de s'affliger à l'idée de son départ prochain, mais de le savourer, d'accepter ses éclipses et de rester prêt à ses retours, à ses passages, même fugaces.

Les pessimistes et les inquiets le supportent mal et préfèrent parfois ne pas s'abandonner au bonheur et à tout ce qu'il y a de bon dans nos vies, parce qu'ils savent que cela ne durera pas. Ils ont raison : ça ne durera pas. Et alors ? C'est bien parce que le bonheur va nous quitter qu'il faut le savourer, non ? Le choix nous est offert entre être heureux puis ne plus l'être, ou ne jamais s'abandonner à l'être. Entre la respiration du bonheur, ou un dolorisme crispé pour se défendre et du bonheur et de sa perte. En ce qui me concerne, le choix est fait...

La science nous montre qu'en prenant conscience que nous vivons des moments heureux pour la dernière fois, notre bonheur de les vivre ne diminue pas mais se complexifie. Il devient plus dense, plus grave, plus lucide. Mais il reste du bonheur.

Du bonheur subtil, qui a intégré le tragique de la vie, sans le nier mais sans se laisser affliger par lui. Le bonheur, une idée tragique ? Évidemment !

Bonheur au sein du malheur

Pourquoi le bonheur devrait-il toujours être du côté de l'insouciance ou de l'inconscience ? Pourquoi ne pourrait-il pas se trouver aussi là où on a besoin de lui ? Du côté du tragique de la vie. Dans la pleine conscience, on s'entraîne à tout accueillir, douleurs et douceurs, à supporter et à héberger des expériences compliquées, subtiles, déconcertantes. Comme dans la vie, la vraie. Pas celle dont nous rêverions mais celle que nous habitons, celle qui s'impose à nous et déniaise nos rêves. C'est tant mieux, d'ailleurs, qu'elle s'impose à nous : c'est cette vie-là qui est la plus intéressante.

Face au bonheur, une fois de plus, la méditation ne pousse pas à s'évader du monde, mais à mieux l'accueillir dans sa réalité. Et la réalité, c'est que bonheur et malheur sont presque toujours au

« À CHAQUE SECONDE NOUS ENTRONS AU PARADIS OU BIEN NOUS EN SORTONS. »

Christian Bobin, *Sous le casque, les papillons*

coude à coude. Ombre et lumière. C'est sans doute pour cela qu'Albert Camus écrivait : « Ce n'est plus d'être heureux que je souhaite maintenant, mais seulement d'être conscient. » Nous allons essayer de concilier les deux, et de cultiver notre conscience non pour remplacer, mais pour éclairer notre bonheur. Pour le densifier, l'insérer dans le monde. C'est ce qu'André Comte-Sponville nomme de son côté la « sagesse » : « Le maximum de bonheur dans le maximum de lucidité ».

Je me souviens d'une belle étude où l'on montrait que les personnes endeuillées capables de sourire en évoquant leur conjoint disparu (« Quelle souffrance de l'avoir perdu, mais quel bonheur de l'avoir connu ») étaient aussi celles qui allaient le mieux deux ans après. Parce qu'elles s'étaient montrées capables de ne pas laisser le bonheur se noyer dans le malheur. Capables de comprendre que la vie, c'est tout ensemble. Et que le malheur n'annule pas les bonheurs passés, ni ne nous les retire : ces bonheurs que nous avons vécus nous restent acquis pour l'éternité. On a bien le droit de pleurer et de sourire en même temps. C'est parce qu'on accepte le monde, et qu'on décide de l'aimer de toutes ses forces.

Comme on aime de toutes nos forces cette vie, que nous quitterons un jour.

Comme on aime de toutes nos forces toutes les choses finissantes : Venise, les crépuscules, et les derniers jours de l'été.

Comme on aime de toutes nos forces Etty Hillesum, enfermée dans le camp de Westerbork, sinistre prélude aux camps de la mort, et qui écrit : « La vie et la mort, la souffrance et la joie, les ampoules des pieds meurtris, le jasmin derrière la maison, les persécutions, les atrocités sans nombre, tout, tout est en moi et forme un ensemble puissant, je l'accepte comme une totalité indivisible. »

Comme on aime de toutes nos forces Evguénia Guinzbourg, dans la salle du tribunal soviétique où elle a été traînée sans rien comprendre de ce qu'on lui reprochait, et qui regarde tout de même au-dehors, attendant son éventuelle condamnation à la mort ou au goulag : « Par-delà les fenêtres se dressent de grands arbres sombres ; j'entends avec émotion le murmure secret et frais des feuilles. Je crois l'entendre pour la première fois. Que ce bruissement des feuilles me touche ! »

Summum de pleine conscience et summum d'humanité. Nous n'en sommes pas capables, sans doute. Mais nous pouvons nous en inspirer. Dans la tristesse, nous arrêter et consentir à de tout petits bouts de bonheur.

Même brefs, même tristes eux-mêmes, même incomplets, même imparfaits, même fragmentaires. Ne pas en attendre de réconfort autre que labile et immédiat : dès que l'on se remettra à vivre et à penser, le malheur se réinstallera peut-être.

Mais nous recommencerons un peu plus tard. Et encore ainsi. Inlassablement.

Toujours nous recommencerons à faire respirer notre malheur auprès de tout ce qui ressemble à de la vie, c'est-à-dire à du bonheur.

LEÇON 20

À propos du bonheur, la pleine conscience nous apprend simplement ceci : comme le bonheur est indissociable du malheur, comme la vie ne manquera pas de nous confronter au tragique et au désarroi, autant ne pas rêver d'un bonheur parfait et permanent. Mais apprendre à le savourer par petits bouts : lui laisser une place malgré les tracas et les soucis, au milieu d'eux et non une fois qu'ils seront enfuis ou que les problèmes seront réglés (sentir un beau jour que tous nos problèmes sont réglés, ça n'existe pas, surtout si nous sommes des inquiets ou des mélancoliques). Préserver nos petits bonheurs, même dans l'adversité. Surtout dans l'adversité : c'est là qu'ils sont les plus touchants, les plus magnifiques ; et les plus indispensables.

« AUJOURD'HUI, TON CORPS
EST PLUS VRAI QUE TON ÂME ;
DEMAIN, TON ÂME SERA PLUS
VRAIE QUE TON CORPS. »

Gustave Thibon, *L'Illusion féconde*

OUVERTURES
ET ÉVEILS:
LE PLUS GRAND
DES VOYAGES

TRAVAILLER

C'est drôle comme on admire davantage les élèves doués que les simples travailleurs. Le surdon nonchalant est plus chic et élégant que le labeur opiniâtre. Mais pour ma part, plus que par ceux qui glissent et survolent, je suis ému par ceux qui s'échinent et s'efforcent. Comme moi, et sans doute comme vous, lectrices et lecteurs de ce livre, qui êtes encore là : les surdoués et les faussaires nous ont laissés depuis longtemps, nous sommes juste entre nous, dans ces pages, tâcherons de la pleine conscience.

Mais nous sommes en bonne compagnie, et surtout nombreuse. La compagnie des humains qui savent bien que le bonheur et l'équilibre intérieur ne sont pas une question de facilité mais de lucidité, de travail et de persévérance.

L'entraînement de l'esprit

D'où nous vient donc cette tendance étonnante à croire que nous sommes les maîtres de notre esprit ? Et à tenir pour évidentes et acquises nos capacités d'attention et de conscience, sans qu'il soit besoin de les travailler ?

Comme si notre cerveau, à la différence de nos muscles, n'avait pas besoin d'entraînement, et ne pouvait être développé ! Nous acceptons pourtant cette évidence pour notre corps : nous savons que l'exercice physique développe notre souffle et nos muscles, qu'une alimentation adaptée bénéficie à notre santé, etc. Mais nous sommes moins convaincus, ou moins informés peut-être, que l'équivalent existe pour notre psychisme : l'entraînement de l'esprit, ou l'exercice mental, présentent aussi un intérêt majeur. Sur un plan intellectuel, ils nous aident à «muscler» nos capacités de réflexion et de concentration ; sur un plan émotionnel, à entraver nos penchants spontanés vers le stress, l'abattement, la colère et tous les dérapages auxquels nous expose le quotidien. La plupart de nos capacités psychiques obéissent aux règles de l'apprentissage : plus on pratique, plus on progresse.

C'est d'ailleurs ce qui nous arrive spontanément : plus nous nous énervons, plus nous devenons forts en énervement. Plus nous pratiquons le pessimisme ou le négativisme, plus nous devenons de grands experts pour décourager et les autres et nous-mêmes. Plus nous stressons, plus nous devenons des champions du stress...

Souhaitons-nous progresser dans d'autres directions ? Il va alors être nécessaire de travailler. Nous l'acceptons pour apprendre l'anglais, le ski ou la pratique d'un instrument de musique. Mais cela nous est moins facile pour la sérénité ou la concentration. Certains se disent, par exemple : « Pourquoi s'exercer chaque jour ? La vie ne suffit-elle pas ? Mes intentions et résolutions ne suffisent-elles pas ? »

Non, tout cela ne suffit pas. En nous contentant de vagues intentions de changement, nous n'utiliserons jamais correctement notre esprit, nous resterons toujours des victimes gémissantes et consentantes de nos vieux automatismes, nous produirons toujours les mêmes pensées courtes et les mêmes émotions incontrôlables. C'est pourquoi la pratique de la pleine conscience, entre autres formes d'entraînement de l'esprit, est particulièrement intéressante pour tout le monde ; et particulièrement nécessaire pour celles et ceux qui perçoivent à quel

« TOUT COMMENCE
EN NÉCESSITÉ ET TOUT
DOIT FINIR EN LIBERTÉ. »

Maurice Zundel, *Vie, mort, résurrection*

point leur esprit leur échappe et leur désobéit. Non qu'il faille espérer tenir notre mental en laisse et exercer sur lui un contrôle absolu. Mais juste rétablir un équilibre des forces : pouvoir se concentrer ou se calmer, par exemple, aux moments où nous en avons besoin, ne me semble pas être un objectif si ambitieux ni excessif. Et pourtant, en sommes-nous souvent capables ?

L'entraînement de l'esprit, pratiqué quotidiennement, c'est un acte de santé : comme une gymnastique de la conscience. C'est aussi un nettoyage des pollutions sociales, une sorte de ménage, régulièrement pratiqué, de notre intériorité. Et comme pour le «vrai» ménage, si on le fait, cela ne se voit pas : on s'habitue vite à se sentir bien. Mais si on ne le fait pas, cela se voit ! Ou plutôt, cela se sent. C'est sans doute le principal «risque» lié à la pratique de la pleine conscience : on en devient dépendant et, si on arrête, l'instabilité émotionnelle et la volatilité de l'esprit reviennent doucement.

L'entraînement de l'esprit est, enfin, une ascèse : derrière la simplicité de la pratique, se cache la difficulté de la régularité. Et il est aussi une école de patience : il faut toujours renoncer à un effet immédiat. Et d'humilité : la pratique n'est jamais une garantie. Ainsi, après l'enthousiasme des débuts, et le sentiment – parfois même les preuves palpables – que les exercices réguliers ont réduit notre fragilité psychique, nous voilà presque convaincus d'avoir fait des progrès, ce qui n'est pas faux ; et convaincus aussi que ces progrès sont stables et définitifs. Ce qui n'est pas vrai : nous allons rechuter. Ces «rechutes du pratiquant» sont la règle. Elles font partie du cheminement normal : après les succès et les enthousiasmes, tu retomberas. Sous l'effet de coups de colère, de spleen, d'inquiétudes... Humiliant? Seulement si tu as tiré fierté de tes progrès de méditant. Plus encore si tu as paradé, en affichant ta pratique, en la vantant comme une panacée, si tu as porté ta nouvelle *zen attitude* en bandoulière... Décevant? Seulement si tu t'es réjoui trop fort, même en secret, même *in petto*. Amusant? Oui, si d'entrée tu avais admis que cela viendrait un jour. Et si, ce jour-là, tu accueilles la déception tranquillement. En pleine conscience. Tu le savais, tu l'avais accepté. Ça ne signifie rien d'autre que ceci : continue la pratique, encore et toujours.

Exercices et pratique

Je désigne par *exercices* la pratique de la pleine conscience alors qu'on n'en a pas besoin. Alors que notre vie se déroule de manière normale, sans souffrances particulières. Il y a trois niveaux d'exercices : les pratiques formelles, les pratiques brèves, et puis la vie elle-même mais en pleine conscience...

Les pratiques formelles consistent en des exercices longs, pratiqués régulièrement ; quotidiennement en début d'apprentissage, puis une fois par semaine ou par mois ensuite. Dans certains, on apprend à passer tout son corps en revue, sans chercher à modifier ses sensations mais juste en s'efforçant d'en prendre doucement et respectueusement conscience : c'est ce qu'on appelle, d'une métaphore médicale, le *scanner du corps*. Dans d'autres, on se connecte à ses mouvements respiratoires, ou encore aux sons et au mouvement incessant de nos pensées : c'est ce qu'on appelle la *pleine conscience des sons et des pensées*. Il y en a bien d'autres. On peut s'initier seul à ces exercices avec l'aide d'un enregistrement audio ; cela permet d'approcher la démarche, de commencer à en peser les intérêts et les difficultés. Mais à un moment, nous aurons besoin de conseils, de réponses à nos questions, besoin donc de participer à des sessions animées par un *instructeur* de pleine conscience. Ce terme d'« instructeur » souligne qu'il ne s'agit pas d'une thérapie (même si la pleine conscience peut être proposée aux personnes souffrant de troubles psychiques) mais d'un apprentissage, d'un ensemble d'*instructions* dont les personnes feront ensuite un usage personnel.

Les pratiques brèves (quelques minutes) sont destinées à être mises en place plusieurs fois dans la journée. Soit à titre de « simples » prises de conscience lors de moments déterminés : comme lorsque la cloche sonne, toutes les heures, dans certains monastères bouddhistes ; ou entre deux rendez-vous pour un médecin ; ou lors des changements de tâche pour une personne travaillant à son bureau ; lors d'une attente, etc. Soit aux moments de détresse et de souffrance : au lieu de les ignorer ou de laisser s'enclencher nos cycles habituels de rumination, on s'efforce d'en prendre conscience et on les héberge avec l'esprit le plus largement ouvert possible sur l'expérience de l'instant présent. C'est ce qu'on appelle, par exemple, un *espace de respiration* : lorsqu'on se sent en difficulté, chaque fois que cela sera possible, on s'arrête, et on permet à ce qui se passe de désagréable en nous d'être là, tout en se rendant présent à ses mouvements respiratoires pendant trois minutes. Puis on reprend le cours de ses activités, en bénéficiant de l'*esprit de pleine conscience* que nous aurons activé durant ces quelques minutes.

Vivre en conscience

Enfin, le plus vaste des lieux d'exercice : la vie elle-même. La vie en pleine conscience, que nous avons évoquée tout au long de ce livre, c'est tout simplement traverser le plus grand nombre possible de moments avec les yeux de l'esprit grands ouverts. C'est s'interrompre régulièrement, quelques secondes, quelques minutes ou davantage, pour éprouver intensément et sans mots ce qui est en train de se passer en nous et autour de nous.

Une sorte de mastication et de digestion tranquilles de l'existence qui est la nôtre (au lieu d'engloutir et d'avaler tous les moments qui composent notre vie l'esprit absent). Que cela soit au cours d'instants apparemment anodins, ou lors d'événements importants. Anodins : manger, marcher, boire, travailler, bavarder, attendre, ne rien faire... Importants : cérémonies (dont la pleine conscience nous aide à prendre la mesure, au lieu de céder à la distraction ou aux bavardages de notre esprit : anniversaires, mariages, enterrements...), moments où nous sommes confrontés à la nature ou à la beauté...

Une ressource et un poste d'observation

Si nous pratiquons régulièrement ces exercices, alors la pleine conscience sera une grande ressource intérieure en cas de souffrance. D'abord comme un refuge : le refuge de l'instant présent face à toutes les détresses. Puis, comme une source de stabilisation de notre attention : elle nous redonne la capacité d'accueillir, d'observer, puis de décider que faire.

Mais aussi comme poste d'observation : lorsque nous ne comprenons pas clairement, lorsque notre volonté ne suffit pas, lorsque nous n'arrivons plus à maîtriser l'agitation ou le désordre de notre esprit. Le passage par la pleine conscience peut nous aider. Nous aider à ne pas vivre n'importe comment. À ne pas «passer à côté» de ce qui compte.

Il en est de même pour le bien-être : la pleine conscience est une ressource pour transcender le bien-être en bonheur, nous l'avons vu. Pour nous aider à accroître notre lucidité face aux moments de bonheur. À l'inscrire plus profondément encore en nous. À faire entrer nos bonheurs dans notre chair lorsqu'ils surgissent. Et à en prendre la mesure, à les voir tels qu'ils sont : impermanents. Non pour s'attrister ou s'en détacher, mais pour les aimer encore plus fort, et réaliser leur beauté. La pleine conscience nous aide à comprendre que nos instants de bonheur sont comme des fleurs, à respirer et à abandonner, et non des pièces d'or, à agripper et à accumuler. Des fleurs magnifiques et fragiles, éphémères comme le sont nos vies. Elle nous aide à vivre, tout simplement, et à prendre conscience, à chaque exercice, que nous sommes vivants et que c'est formidable.

LEÇON 21

Ce que recommandent les méditants chevronnés,
c'est de commencer et de terminer ses journées
par quelques instants, aussi longs que possible,
de pleine conscience : en ouvrant mes yeux
le matin, et le soir au moment de les fermer,
prêter attention à mon expérience du présent
(mon corps, mon souffle, le bavardage de mes
pensées, le cours de mes émotions...). C'est
aussi de traverser ces mêmes journées avec,
régulièrement, des espaces de pleine conscience
(lors des attentes ou des transitions entre deux
activités). C'est enfin, si nous voulons aller
plus loin, d'avoir une pratique approfondie
toutes les semaines, pendant une heure ; ce qui
est plus facile si on le fait en groupe, et avec
un instructeur expérimenté.

CONTEMPLER

Tu es parti très tôt ce matin, bien avant
l'aube, et te voilà arrivé tout en haut.
Durant la longue marche d'approche,
tu avançais l'esprit léger : le bruit de tes
souliers, le rythme de ton cœur et de
ta respiration, l'enchaînement régulier
de tes pas, le choc métallique de ton
bâton sur la roche, tout cela emplissait
ton esprit d'une sensorialité apaisante.
Quelquefois, des pensées arrivaient,
sur les difficultés qui t'attendaient.
Alors tu ouvrais ta conscience encore
plus largement à l'instant présent :
la marche, les bruits, mais aussi
maintenant les premières couleurs du
jour, après l'aube pâle. Et les pensées
disparaissaient, puis revenaient, puis
disparaissaient à nouveau ; pas plus
consistantes que des plumes au vent
ou que la brume sur les flancs de
la montagne. Maintenant, tu es au
sommet. Tu as d'abord savouré ta

victoire : « J'y suis arrivé, je l'ai fait ! »
Il faut toujours savourer ses victoires.
Histoire de se libérer plus vite de
ces états d'âme puérils autour du
succès. Fierté, orgueil, contentement :
autant assumer pleinement, laisser se
répandre en nous ce nectar sucré et
un peu écœurant. Puis passer à autre
chose de plus intéressant. Aller au-delà
de tout ça. Se laisser reprendre par
la montagne, envahir par cet univers
qui nous accueille et nous offre son
hospitalité. Ouvrir sa conscience à
tout ce qui est là, l'horizon splendide,
la pureté de l'air, le silence habité des
sommets, le bruit du vent. À chaque
inspiration, il te semble que c'est toute
la montagne qui entre en toi.
À chaque expiration, c'est ton corps
et ton âme qui se dissolvent en elle.
Tu te sens infiniment bien. Totalement,
absolument à ta place.

Engagement et détachement

La pleine conscience nous aide à nous engager dans les actions qui nous importent. Puis elle nous aide à nous détacher de l'asservissement au résultat de ces actions.

C'est la différence que faisait la langue grecque entre *télos* et *skopos*, entre la fin et le but. Lorsqu'un archer s'entraîne à tirer, le *télos*, c'est de bien tirer ; le *skopos*, c'est d'atteindre la cible. Ce qui est à ma portée et qui dépend de moi, c'est le *télos*. Le *skopos* dépend aussi d'autres facteurs : un souffle de vent qui va déporter la flèche, un bruit soudain qui va me faire bouger au dernier moment.

De même, la pratique de la pleine conscience exige de moi que, régulièrement, je reste assis en silence, les yeux fermés, et que je me consacre à accueillir et à observer mon expérience. Par contre, je dois accepter que le résultat de mon assise puisse varier considérablement selon les jours. Seule certitude : plus souvent et plus longtemps je me serai assis, plus souvent j'atteindrai ma cible.

Cette façon de s'engager dans l'action, en pleine conscience, nous permet, au travers de la vie de tous les jours, une confrontation à l'absolu. Engagement puis détachement comme une lente et patiente marche d'approche d'un absolu qui nous dépasse. Mais la séquence engagement puis détachement n'est pas facile.

Au début, lorsqu'on travaille sur le détachement, on fait semblant. On n'est pas vraiment détaché. On veut juste se préserver de la souffrance, appeler le détachement au secours pour ne pas souffrir des échecs, des abandons, des tourments du quotidien. Mais être détaché face aux succès, aux célébrations, aux glorioles, ça nous intéresse moins! On ruse alors, on simule. Fausse modestie et fausse indifférence, fausse distance; alors qu'en-dedans on se pourlèche, on se boursoufle en cachette. Mais si on s'astreint, si on pratique régulièrement, si après chaque succès on s'assoit et on laisse décanter au lieu de s'exciter dans l'autocélébration, si après chaque échec on fait de même, au lieu de s'énerver dans l'autoflagellation, peu à peu il se passera de drôles de choses en nous. On sera moins secoué par l'écume des actes. On percevra qu'il y a plus intéressant au-delà. Ça commencera à ressembler au sommet de la montagne...

Pleine conscience, spiritualité et mysticisme

La vie spirituelle peut exister en dehors de la pratique religieuse. La spiritualité, c'est simplement la partie la plus élevée de notre vie psychique, celle où nous sommes confrontés à l'absolu et à ce qui nous dépasse. C'est ce qui va au-delà de notre ego, ce qui reste ouvert surtout, et donc aussi sur l'inconnu; trop facile, sinon, de n'être ouvert qu'au connu, au logique, à l'acceptable, au prévisible. La spiritualité, c'est ne pas fuir devant ce qui nous dépasse mais, au contraire, s'y exposer en pleine conscience. Ce qui nous dépasse ? Ces trois vertiges que sont l'infini, l'éternité et l'absolu...

La spiritualité suppose absolument ce double mouvement que nous venons d'évoquer : engagement et détachement. Pratiquer et avancer jusqu'au point où on lâche tout, où on se débarrasse du bagage de nos efforts et de nos objectifs. S'adonner alors à la contemplation.

Dans la foi catholique, contempler, c'est « regarder longuement, avec admiration ». Cette attitude suppose au préalable « la paix et la pureté du cœur ». Traduction profane : le calme et le non-jugement, c'est-à-dire la pleine conscience.

Pour le philosophe André Comte-Sponville, l'attitude contemplative est ce qui conduit à la pratique du mysticisme : « Le mystique, c'est celui qui voit la réalité face à face : il n'est plus séparé du réel par le discours (c'est ce que j'appelle le silence), ni par le manque (ce que j'appelle la plénitude), ni par le temps (ce que j'appelle l'éternité), ni enfin par lui-

« CELUI QUI ATTEINT SON BUT A MANQUÉ TOUT LE RESTE. »

Adage zen

même (ce que j'appelle la simplicité : l'*anatta* des bouddhistes). Dieu même a cessé de lui manquer : il fait l'expérience de l'absolu ici et maintenant. »

La pleine conscience est ainsi une évidente mystique laïque : la quête, au-delà des explications et des mots, d'un éclaircissement et d'un absolu dont on s'apprête, dont on se prépare à ne rien vouloir faire. Puisqu'il n'y a rien d'autre à faire que s'en imprégner, que s'en laisser baigner et irradier. Ce qui nous conduit parfois à une sorte d'extase légère, tranquille, muette. Parfois. Et parfois non...

Extases, enstases et moments de grâce

L'extase est une sortie de soi et une fusion dans autre chose de plus vaste : une révélation divine, ou parfois charnelle, l'accès à un autre monde que l'habituel, dans un autre état de conscience que l'habituel. Elle est une chute, un saut ou un détour – car, en général, on en revient – dans la transcendance et l'absolu.

L'enstase est une chute en soi-même, et on y découvre que tout est là. C'est la douceur qui monte du dedans, le calme à qui l'on a permis d'émerger de l'intérieur. Tout à coup, éruption volcanique de sérénité. C'est toujours bouleversant de sentir cet apaisement autoproduit. Bouleversant de constater comment le calme *enstatique* nous relie au monde au lieu de nous en séparer. On se laisse alors transformer, au lieu de vouloir encore et toujours transformer ce qui nous entoure.

Cela se passe lors de moments de grâce, qui surviennent souvent lorsqu'on ne s'y attend pas. Moments de grâce qui ne peuvent jaillir que d'une pleine conscience et d'une vraie présence au réel, comme dans cet instant raconté par le poète Christian Bobin : «J'épluchais une pomme rouge du jardin quand j'ai soudain compris que la vie ne m'offrirait jamais qu'une suite de problèmes merveilleusement insolubles. Avec cette pensée, est entré dans mon cœur l'océan d'une paix profonde.»

Pas besoin de gravir des montagnes. Une pomme suffit.

LEÇON 22

La pleine conscience ne nous recommande
pas de nous couper du monde ou de nous retirer
dans un ermitage, ni d'adopter des postures
de sage distancié de tout. Elle nous incite juste
à mieux savourer notre vie, à effectuer des choix,
à poursuivre des buts, mais sans nous confondre
avec eux, sans nous accrocher excessivement
à la réussite ou à la perfection. Est-il possible
d'être à la fois engagé et détaché ? Il s'agit
de faire de notre mieux, en toute conscience
et en toute présence, mais sans assujettir notre
effort, qui dépend de nous, au résultat final,
qui ne dépend pas que de nous. Plutôt que
le dépassement (de soi ou, pire, des autres),
c'est l'accomplissement qui nous intéresse
alors : ne plus penser sa vie en termes
de victoires ou de défaites, mais d'expériences
qui nous construisent.

AIMER

Lorsqu'adolescent j'ai découvert
la Bible, je m'en souviens, je ne
jurais que par l'Ancien Testament,
ses violences et ses fracas, son Dieu
sévère et vengeur, exclusif et agressif
envers qui ne le vénérait pas. Puis en
grandissant, j'ai été de plus en plus
touché par les Évangiles et la figure
de Jésus, cet énergumène qui prônait
une révolution tranquille, celle de
l'amour. En plus de la parole divine,
Jésus apportait aussi sur cette Terre
la révélation de l'amour. Jamais
personne avant lui ne l'avait ainsi
clamé et révélé : Dieu est amour,

et Dieu veut que l'amour règne,
sans partage. Les anciens dieux ne
dominaient les esprits des humains
que par la force et la peur. Pendant
qu'en Orient, le message de Bouddha
parle de l'importance de la compassion
et de la voie pour diminuer
la souffrance de tous les humains,
Jésus annonce un Dieu de miséricorde
infinie, et le royaume qui va avec.
Ce message – la primauté absolue
de l'amour – continue peu à peu
de changer le monde. Mais il reste
du travail à accomplir dans chacun
de nos cœurs...

Le lait des tendresses humaines

L'expression est de Shakespeare, dans *Macbeth*. Elle sort de la bouche de lady Macbeth, qui regrette chez son époux ce signe d'humanité, alors qu'elle le pousse à assassiner le roi d'Écosse, Duncan : « Je crains ta nature, elle est trop pleine du lait des tendresses humaines pour te conduire par le chemin le plus court. » Ce « lait des tendresses humaines » sonne chez elle comme un regret ou un reproche. Il n'empêchera pas l'assassinat, mais provoquera la culpabilité de Macbeth et la folie de son épouse. L'expression nous rappelle que nous sommes des êtres de lien et d'amour. Sans nourritures affectives, on est en danger, on ne grandit pas, on ne s'épanouit pas. Sans amour, on vit mal : on se durcit ou on sombre dans la folie ou la maladie.

La vie peut nous pousser à oublier ou à négliger cette dimension de notre humanité. La pratique de la pleine conscience nous propose de nous y reconnecter très régulièrement. Pour diminuer nos souffrances et celles des autres humains. Et pour comprendre et utiliser plus souvent son pouvoir formidable.

Il y a autour de moi une foule d'êtres humains qui m'ont aimé, aidé, souri, donné... Et continuent de le faire, et le feront demain. Avoir conscience de la dette, et s'en réjouir, et l'exprimer : c'est la gratitude. Amener régulièrement ma conscience sur cela, jusqu'à l'éprouver physiquement : ce sont les méditations de gratitude. Au fond, il y a trois démarches dans la gratitude : reconnaître son importance ; s'arrêter un moment pour faire davantage qu'y penser, la laisser se répandre dans son corps, comme une émotion et pas seulement comme une pensée ; puis l'exprimer, bien sûr, à celles et à ceux qui nous ont aimés et aidés. Pensée, émotion, comportement...

Plus largement encore, il est capital de prendre conscience de l'importance extrême et absolue de l'amour : sous toutes ses formes (altruisme, affection, tendresse, gentillesse, compassion, générosité...). Capital de méditer sur cet amour. Et capital de le mettre en acte quotidiennement. Cette philanthropie en action, les chrétiens la nomment *charité*, et les bouddhistes *amour altruiste*. Mais il s'agit évidemment de la même démarche : comprendre, héberger et pratiquer l'amour du prochain.

Méditations et liens d'amour

L'enseignement bouddhiste, qui a beaucoup codifié ces attitudes, aborde en général le travail sur l'amour altruiste au travers de quatre pratiques méditatives, qu'il faut bien sûr comprendre comme des moments de préparation aux mises en actes.

Il y a d'abord les méditations d'amour bienveillant, qui consistent à penser aux personnes qu'on aime et à les aimer vraiment, là, maintenant. Il ne s'agit pas de juste se dire qu'on les aime, mais de laisser cet amour (ou affection, ou sympathie) qu'on éprouve à leur égard grandir et se manifester physiquement en nous. Cela ressemble un peu à ce que vous pouvez éprouver en regardant dormir un enfant, ou en observant une personne aimée, à son insu : tout votre corps participe à l'amour, pas seulement vos pensées. Dans ces méditations, on s'efforce de donner dans notre conscience le plus grand espace possible à cet amour. Et de faire que notre corps en soit la caisse de résonance la plus sensible.

Puis viennent les méditations de compassion, qui consistent à tourner notre esprit vers les souffrances que peuvent ressentir (ou qu'ont pu ressentir) nos proches. Nous en accueillons la conscience jusqu'à les héberger en nous. Et nous en souhaitons, de tout notre cœur, la diminution ou la cessation. Là encore, ce souhait doit aller au-delà de la simple pensée rapide ou superficielle, il doit être émis et éprouvé de toute notre personne. Ce qui nous est demandé, ce

« JE NE PARLERAI PAS,
JE NE PENSERAI RIEN :
MAIS L'AMOUR INFINI ME
MONTERA DANS L'ÂME... »

Arthur Rimbaud, « Sensation »

n'est pas seulement d'avoir des *pensées* de compassion ou des *intentions* de compassion, mais littéralement des *émotions* de compassion. Lorsqu'on apprend la souffrance, la maladie ou la mort de quelqu'un, que faisons-nous? Est-ce que nous nous arrêtons, au moins quelques minutes? Est-ce que nous prenons le temps de laisser l'image de cette personne s'installer en nous? Le temps de laisser nos pensées d'affection et de compassion prendre toute la place en nous? Pratiquer régulièrement cela, c'est la méditation de compassion.

Les méditations de joie altruiste visent, quant à elles, à prendre peu à peu la bonne habitude de se réjouir sincèrement du bonheur d'autrui. Réjouissance altruiste devant ce qui est bon pour les autres. Se réjouir de voir des enfants, même si ce ne sont pas les siens, rire et jouer, des amoureux s'embrasser, des gens se parler ou s'aider. Il n'y a pas que ça? Il y a aussi des violences et des méchancetés? Eh bien, justement, les méditations de joie altruiste nous aident à ne pas oublier que, face à ces violences et à ces méchancetés, il y a aussi la douceur, le bonheur et l'amour. Nous le savons, mais l'éprouver en pleine conscience donnera plus de force à ces convictions.

Enfin, les méditations d'équanimité recommandent de s'entraîner à rester capable de souhaiter le bien de tous les humains, même de ceux qui sont loin de nous, qui nous sont inconnus, même de ceux qui nous sont antipathiques ou qui ont pu nous faire du mal. Travailler à éprouver pour eux de la bienveillance, de la compassion et de la joie altruiste face à leurs bonheurs. Le pressentiment et la conviction qui sous-tendent ces méditations, c'est que la souffrance est à l'origine de la plupart des conduites problématiques ; si un humain est heureux, s'il souffre moins, il fera moins souffrir les autres.

Quelles graines voulons-nous voir pousser en nous ?

Nous pouvons devenir des champions d'indifférence, d'envie et de jalousie, d'égoïsme, de ressentiment : il suffit de ne pas faire d'efforts lorsque ces émotions surgissent en nous. De leur laisser toute la place. De les laisser emplir seules toute notre conscience. Nous pouvons alors être sûrs qu'elles reviendront, toujours plus fortes et présentes. Leur laisser libre cours ne les calmera pas, mais les enracinera encore plus solidement en notre esprit. La catharsis, la vidange, en matière d'émotions déstabilisantes, cela ne fonctionne pas.

Mais nous pouvons aussi devenir des champions d'altruisme, de bienveillance, de compassion, d'équanimité si, régulièrement et profondément, nous faisons de l'espace en nous pour ces ressentis. Il n'y a maintenant rien de plus à en dire.

LEÇON 23

La pleine conscience donne du corps à nos bonnes intentions. Nos élans d'affection, pour nos proches et moins proches, gagnent à être exprimés par des gestes et des paroles. Mais ils peuvent aussi s'accomplir et s'approfondir dans le secret de notre intériorité. Prendre régulièrement le temps de ressentir l'amour, la sympathie, la gratitude et toutes les émotions d'affection que la vie, normalement, nous permet d'éprouver. Pas d'intentions vagues (« Il faudra que je lui dise »), pas de pensées pressées et expéditives (« J'ai de la chance, on m'aime »), mais des méditations prolongées, répétées et enracinées dans notre corps. Cela va tout changer.

EXPÉRIMENTER L'EXTENSION ET LA DISSOLUTION DE SOI

Le nirvana est un *xénisme*, autrement dit, importer un mot étranger dans notre langue. En l'occurrence, c'est un xénisme souvent doublé d'un contresens, car le nirvana est un anéantissement, une dissolution de soi ; c'est très cohérent avec la quête bouddhiste de la disparition de l'ego, mais vraiment loin de notre vision occidentale du Paradis (que nous voyons en gros comme le prolongement amélioré de notre vie ici-bas : nous y resterons nous-mêmes, en plus jeunes et plus beaux). Et habituellement, lorsque nous découvrons la signification exacte du mot *nirvana*, l'idée d'une extinction définitive de notre petit ego nous est plutôt inconfortable. Voici un court récit issu de la tradition zen à son propos : imaginez que vous soyez une belle statue de sel, si belle que votre propriétaire vous a posée sur sa cheminée pour que tous ses visiteurs vous admirent. Que serait pour vous le nirvana ? Toujours plus de visiteurs, d'admiration, une cheminée encore plus grande, une vitrine de musée ? Non. Ce serait que votre propriétaire vous jette dans l'océan ! Que, peu à peu, tous les atomes transitoirement assemblés pour vous donner forme, toutes les molécules de sel qui vous composent, se détachent et rejoignent l'immensité marine. Dans cette dissolution, vous trouveriez votre nirvana : ne plus être compactée en un petit ego, même admirable, mais s'intégrer à l'océan, sans identité propre, avec une liberté immense, avec le bonheur absolu et indicible de grains de sel retrouvant la mer. Mais on peut aussi s'approcher du nirvana sans être une statue de sel...

Extension

La pleine conscience est comme une expansion de soi. On absorbe tout ce qui est autour de nous, on s'en imprègne et on le devient. Comme un cercle qui s'élargit jusqu'à tout englober. On est au centre de cet univers. Mais ce n'est pas un univers borné, toutes ses frontières sont poreuses...

Pourtant, on avait commencé la séance tout étriqué, crispé, recroquevillé sur des pensées, des énervements ou des désolations. Alors on s'est arrêté, on s'est assis, on a fermé les yeux. Mais ça continuait : acouphènes, agacement, confusion, désordre, dispersion. Tout ça pour ça ? J'arrête ? Non, je continue. Je continue mais je ne touche à rien : ne pas modifier mon expérience, ne rien empêcher, ne rien retrancher, ce qui est là, comme ça, a peut-être, a sans doute, de bonnes raisons d'être là. Juste ouvrir, élargir, inviter, appeler d'autres invités à ma conscience ; ne pas rester seul avec ce chaos, mais lui permettre d'être là. Je respire, je prends conscience que je respire.

Il y a des sons autour de moi : conscience. Conscience de toutes les parties de mon corps. Je commence à sentir que l'étreinte se desserre. Je sens que je peux même ouvrir les yeux, contempler le mur, les objets, le ciel. Absorber tout ce qui passe. Le chaos, l'agacement et les sensations désagréables sont toujours là, ainsi que les ennuis extérieurs qui

254

les ont créés ; mais ils apparaissent maintenant plus petits. Moins importants. J'avale toujours tout ce qu'il y a autour de moi. Gargantua, Pantagruel, ogre psychique, j'engouffre doucement le monde et le réel. Plus j'avale, plus je me sens serein. Mais au bout d'un moment, une question m'arrive : qui est en train d'avaler qui ?

Dissolution

Dans la pleine conscience, nous éprouvons souvent des sentiments récurrents d'abolition des frontières entre nous et l'extérieur. Sentiments de fusion de soi dans l'environnement. De diffusion de l'environnement en soi. Effrayant ? Au contraire, agréable et sécurisant : on y découvre à quel point le repli sur l'ego est finalement une mauvaise solution.

Souvenez-vous, nous avons évoqué comment le bouddhisme parle, dans sa langue imagée et poétique, de «vision pénétrante», nous aidant à accéder à la vraie nature des phénomènes, et notamment à leur *vacuité* : nous sommes comme des arcs-en-ciel. Exister, se dissoudre, se recomposer...

J'éprouve souvent cela lorsque nous conduisons, par beau temps, des séances de méditation dans les jardins de l'hôpital Sainte-Anne : sortis du service, nous nous trouvons pieds nus dans l'herbe, plongés dans la rumeur lointaine de Paris qui nous arrive de par-delà les murs, et dans un bain de sensorialité tel que nous nageons dedans sans plus distinguer nos limites. Expansion. Présence très intense mais sans ego. Comme une sortie de soi-même, sans avoir besoin de mourir. On ne se sent pas mort mais ultravivant. On ne se sent pas disparaître mais on a au contraire l'impression de se répandre partout autour de soi. Notre présence devient comme une évidence. Nous nous sentons «être comme le blé qui pousse ou la pluie qui tombe», ainsi que le note Etty Hillesum.

Libération

On se sent alors léger jusqu'à l'inexistence. Mais non, ce n'est pas tout à fait ça. Ce n'est pas vraiment un mouvement vers l'inexistence, mais vers une appartenance qui nous échappe.

Je pense à la noosphère du théologien chrétien Teilhard de Chardin. Tout comme on parle d'atmosphère pour la couche d'air ou de biosphère pour la couche de vie végétale et animale qui entourent

« JE GOÛTE À LA SENSATION PAISIBLE DE DISPARAÎTRE DANS CE QUE JE VOIS. »

Christian Bobin, *Le Prince étourdi*

notre planète minérale, on peut parler de noosphère (du grec *noos* : intelligence, esprit, pensée)
pour désigner la couche – invisible, impalpable,
mais bien réelle – de toutes les pensées humaines.
Qui forment une *extelligence*, fusion vertigineuse de
nos intelligences individuelles.

Je pense à la métaphore du radeau et de la traversée : après la traversée de la rivière, du lac, de
l'océan, le radeau si précieux devient inutile et en-
combrant pour continuer le voyage sur le continent
que nous avons abordé. Il faut le quitter. Sans regret, l'essentiel nous restera.

Je pense à ces paroles d'un sage : « Abandonne
tout, abandonne tout ce que tu connais, abandonne, abandonne, abandonne. Et n'aie pas peur
de rester sans rien, car, à la fin, c'est ce rien qui te
soutient... »

Je pense à ces lignes de Simone Weil : « Que l'âme
d'un homme prenne pour corps tout l'univers.
S'identifier à l'univers même. »

Je pense à cette différence entre éternité et immortalité. On sait bien que l'immortalité n'existe-
ra pas pour nous. Mais, lorsqu'on vit pleinement
l'instant présent, on sent bien qu'on y est, dans
l'éternité. Elle existe et nous l'éprouvons.

LEÇON 24

La pleine conscience abolit les frontières inutiles.
Comme celles qui nous séparent de tout le reste
du monde. On a toujours peur de disparaître et
de se dissoudre. Mais si on l'a fait des dizaines de
fois, on a forcément un peu moins peur. Méditer
en pleine conscience, c'est se connecter au
monde, si fortement que les distinctions entre
soi et non-soi deviennent absurdes, inutiles et
encombrantes. Se préparer doucement à revenir
d'où on vient, comme la vague se dissoudra
bientôt dans l'océan. Il n'y a alors plus de limites.
Que des liens.

« ADIEU, ET SOUVIENS-TOI :
LA FOI EST PLUS BELLE QUE DIEU. »
Claude Nougaro, « Plume d'Ange »

ENVOL
FIN ET
COMMENCEMENT

Chaque jour, je lève la tête des dizaines de fois pour regarder le ciel.

Je suis comme une baleine, ou un dauphin : ils ressemblent à des poissons, mais ce sont des mammifères, et ils ont besoin d'air, besoin de remonter à la surface pour respirer. Il doit exister dans le ciel une sorte d'oxygène indispensable à mon âme. Parfois les cieux sont gris et laiteux, et cela apaise mon cœur inquiet. Parfois ils sont d'un bleu tel que cela me remplit d'une joie sans cause. Parfois je reste des heures à contempler le passage des nuages, et je me sens immortel et éternel, partout et nulle part.

Je suis alors moi-même ces nuages, et ce ciel.

Comme je suis ce livre. Ce papier qui chuchote sous le passage de tes doigts, ces lettres imprimées qui parlent à tes yeux. Je suis là, et dans les pensées qui traversent ton esprit, il y a aussi, tu le sens bien, un petit peu de moi.

Tu es là, toi aussi, dans mon esprit, à l'instant où tu me lis. Quand tu vas lever la tête et voir le ciel, ou quand tu vas aller à ta fenêtre pour le regarder, ce sera le même ciel que je regarderai. Le même air que nous respirerons. Même planète. Cette nuit, ou la prochaine, mêmes étoiles au-dessus de nos têtes.

Chaque jour, j'ai besoin aussi – décidemment, que de besoins vitaux ! – de lire ou d'entendre au moins une ligne de poésie, ou de la voir autour de moi. La poésie qui console de tout et qui guérit tout. Que me dit-elle aujourd'hui, au travers de la voix douce de Christian Bobin? Elle me dit, elle nous dit, juste ceci:

«Peut-être qu'il n'y a jamais de fin – juste ce déchirement sans bruit des nuages dans le ciel inépuisable.»

Oui, il n'y a jamais de fin. Que des commencements. Et peut-être que tout commence pour toi maintenant...

L'ART DE
LA PRATIQUE

Vous voici arrivé à ce qui est
peut-être la partie la plus importante
de ce livre : celle qui est consacrée
à la mise en pratique régulière
de la méditation de pleine conscience.
La plupart d'entre nous sont séduits par
le message de la pleine conscience :
se rendre plus présent à notre vie.
Mais nous n'arrivons pas tous à nous
engager dans la pratique régulière qui,
seule, nous permet de nous rapprocher
de cette présence apaisée et éveillée,
d'en augmenter les passages dans
notre vie. Voilà pourquoi cette petite
partie du livre, modeste, placée à la fin,
est pourtant si importante : elle souhaite
vous aider à intégrer peu à peu
la pleine conscience dans votre
vie tout entière.

1. QUELQUES CONSEILS
POUR MÉDITER

- La pleine conscience est une méthode de méditation simple et accessible à tous. C'est juste sa pratique régulière qui demande des efforts!

- Un point de départ : s'arrêter, s'asseoir et fermer les yeux (ou les garder mi-clos sans rien regarder de précis). Puis observer et accueillir ce qui arrive alors dans notre corps et notre esprit.

- Pas besoin de matériel particulier pour démarrer : des vêtements confortables et une chaise suffisent.

- Au début, mieux vaut s'entraîner dans un endroit calme et en retrait. Puis, il est possible de méditer à peu près partout.

- Ne cherchez pas à obtenir tout de suite un état particulier (faire le vide dans sa tête, se détendre, être zen...). Décidez juste de ne rien faire d'autre qu'observer ce qui se passe en vous et autour de vous, quoi que ce soit.

- Même – et surtout – lorsque votre séance est difficile, efforcez-vous d'y rester le temps prévu. Il n'y a pas de «bonnes» ou de «mauvaises» sessions de méditation. Certaines sont faciles et agréables, nous y ressentons des bouffées de calme et de lucidité. D'autres sont difficiles et douloureuses, nous y sommes dispersés, déchirés, agacés contre nous-mêmes. Toutes sont utiles et nous apprennent à leur manière, confortable ou inconfortable, beaucoup de choses sur notre

vie, elle aussi faite de moments tranquilles et
d'autres intranquilles.

- La pratique de la méditation nous invite à
ressentir plutôt qu'à réfléchir, à éprouver plutôt
qu'à mentaliser, bref : à être plutôt qu'à faire. Il
s'agit simplement d'entrer en contact avec soi-
même, et sa propre expérience, à cet instant.
- Tous les moments sont bons pour méditer, mais
commencer la journée par quelques minutes de
pratique méditative nous permet d'éveiller et
de cultiver nos capacités de concentration et de
stabilité émotionnelle.
- Comme pour tous les apprentissages, plus on
pratique, plus on progresse. Mais il est normal que
certains jours, on ait du mal à faire les exercices.
Il est normal qu'à certaines périodes, on ait
l'impression de ne pas avancer. Et il est normal
qu'à certains moments de notre vie, on laisse
tomber la pratique, avant d'y revenir. Bienvenue
au club : nous en sommes tous passés par là.
- Inutile de se presser, inutile de mettre les
bouchées doubles : juste pratiquer et avancer
doucement et régulièrement. Sur le chemin de
la méditation, il n'y a pas de raccourci...

2. VOTRE ESPACE PERSONNEL

Chacun de nous a sa propre manière de découvrir la méditation, de commencer à en éprouver la

saveur, d'en approfondir la pratique. De l'abandonner, puis d'y revenir. De s'y adonner assidûment, puis en pointillés.

N'oubliez jamais ceci : personne, absolument personne, ne pratique de manière parfaite et irréprochable. Tout le monde vagabonde (ou a longuement vagabondé avant de trouver l'équilibre). Alors soyez bienveillant avec vous-même : pardonnez-vous les périodes où vous délaissez, où vous bâclez. Mais sans oublier d'être exigeants : vous qui avez compris à quel point la pleine conscience peut vous aider, gardez toujours en vous l'envie de revenir vers elle.

Je vous propose dans les pages qui suivent un espace où noter les remarques concernant votre cheminement et votre pratique, à partir de quelques suggestions, tirées de ma propre pratique, et de celle de personnes que j'ai accompagnées ou avec qui j'ai échangé.

3. ACTIVITÉS SIMPLES À PRATIQUER EN PLEINE CONSCIENCE

La pleine conscience, ce ne sont pas seulement les temps de méditation assise, mais aussi une présence accrue de notre esprit lors d'activités quotidiennes simples. Quel intérêt ?

D'une part nous apercevoir à quel point nous vivons et agissons l'esprit ailleurs ; et lorsque cet ailleurs, ce sont nos soucis ou nos ruminations, mieux vaut rester ici et maintenant, dans le refuge de l'instant présent.

D'autre part, redécouvrir qu'accomplir ces activités simples en pleine conscience a un pouvoir apaisant et bienfaisant sur notre corps et notre esprit.

Enfin, voir combien habiter réellement ces activités, même les plus humbles, même les plus ingrates, peut redonner du goût et du sens à notre vie.

Il ne s'agit pas de toujours traverser ces moments en pleine conscience, mais de le faire souvent, très souvent. Vous verrez à quel point cela change notre manière de vivre.

Voici une liste de quelques-unes de ces activités et de ces instants que vous pouvez vivre régulièrement en pleine conscience :

- lorsque je mange (au lieu de lire ou de regarder la télé en même temps),
- lorsque je marche (au lieu de téléphoner),
- lorsque je conduis (au lieu d'écouter la radio),
- lorsque je prends ma douche (au lieu de réfléchir à ma journée de travail),
- lorsque je me brosse les dents,
- lorsque j'attends (à la caisse d'un magasin, dans une administration, chez un médecin...),
- lorsque je suis dans les transports en commun,
- lorsque je prépare un repas,
- lorsque je fais la vaisselle,
- lorsque je sors la poubelle, etc.

Votre propre liste :

_____
_____
_____
_____
_____
_____
_____
_____
_____
_____
_____
_____
_____
_____
_____
_____
_____
_____
_____
_____
_____
_____

4. SEUILS À FRANCHIR EN PLEINE CONSCIENCE

Tout au long de nos journées, nous passons d'une activité à une autre : du sommeil à l'éveil, du dedans au dehors, du repos au travail, de la solitude au lien, du calme au tumulte, etc. Tous ces instants sont des seuils. Pour augmenter la qualité de notre présence à nos activités, nous pouvons, régulièrement, prendre le temps d'ouvrir les yeux de notre esprit sur tous ces moments de passage. Franchir en pleine conscience ces seuils va nous permettre, tout au long de nos journées, de mieux entrer dans les activités nouvelles, et de mieux laisser les activités anciennes.

Voici une liste de quelques-uns de ces seuils que vous pouvez essayer de franchir régulièrement en pleine conscience :

- lorsque je me réveille (au lieu de me lever d'un bond),
- lorsque j'arrive à mon travail (au lieu de me jeter sur ce que j'ai à faire),
- lorsque je passe d'une activité à une autre,
- lorsque je passe d'un lieu à un autre,
- lorsque je quitte quelqu'un,
- lorsque je rencontre quelqu'un,
- lorsque je pars de mon travail (pour y laisser mes soucis professionnels),
- lorsque je retrouve mes proches le soir,
- lorsque j'éteins les lumières avant la nuit,
- lorsque je m'endors, etc.

Votre propre liste :

_____

_____

_____

_____

_____

_____

_____

_____

_____

_____

_____

_____

_____

_____

_____

_____

_____

_____

_____

_____

_____

5. ACTIVITÉS COMPLEXES À PRATIQUER EN PLEINE CONSCIENCE

Avec un peu de pratique, nous allons rapidement réaliser que la pleine conscience, d'elle-même, en modifiant la qualité de notre lien au monde, aux autres et à nous-même, va s'inviter aussi, tout doucement, dans des situations plus complexes et plus subtiles, auxquelles elle va nous aider à nous rendre plus présent. Et ces situations, de ce fait, vont devenir plus enrichissantes et plus fécondes.

Accomplir en pleine conscience ces activités essentielles à notre vie signifie qu'alors, nous leur sommes absolument et sincèrement présents.

Voici une liste de quelques-uns de ces moments à vivre, chaque fois que c'est possible, en pleine conscience :

• lorsque je contemple la nature,
• lorsque je parle avec quelqu'un,
• lorsque je lis une histoire à un enfant,
• lorsque je suis au chevet d'une personne malade,
• lorsque je vis un moment heureux,
• lorsque je vis un moment douloureux, etc.

Votre propre liste :

_____
_____
_____
_____
_____
_____
_____
_____
_____
_____
_____
_____
_____
_____
_____
_____
_____
_____
_____
_____
_____
_____
_____

6. VOTRE SAGESSE MÉDITATIVE

Nous n'en aurons jamais terminé avec l'apprentissage et l'approfondissement de la pleine conscience. Et c'est très bien ainsi : la méditation sera pour toujours un espace où nous resterons des enfants et des débutants, des *apprenants*. N'est-ce pas merveilleux ?

Nous n'en finirons jamais de découvrir, de comprendre et de progresser. Pour nous y aider, notre propre pratique sera un lieu précieux. Car les moments où l'on médite sont souvent des moments féconds, qu'ils se déroulent dans le bien-être ou la souffrance, la facilité ou la difficulté.

Et il arrive parfois que des clartés, des intuitions, des idées émergent de nos exercices, même laborieux, même douloureux. Lorsque cela survient, n'interrompons pas la séance en nous mettant à réfléchir ou en prenant une feuille de papier pour noter nos pensées. Mais, une fois l'exercice terminé, prenons le temps de laisser notre esprit revenir à ces clartés, et notons-les.

Je vous recommande, mois après mois, année après année (car rien ne presse) de noter les vôtres dans les pages qui viennent, laissées libres à cette intention. Vous compléterez ainsi de la meilleure façon les recommandations proposées dans ce manuel. Et vous pourrez, en vous relisant de temps en temps, voir émerger peu à peu les bases de votre propre sagesse méditative, les fruits de votre savoir-faire et de votre expérience, tout doucement venus de vos pratiques régulières.

Voici, à titre d'exemple, quelques pensées qui ont émergé naturellement de mes pratiques méditatives (et non de mes réflexions actives). Bien sûr, j'ai réfléchi ensuite sur ces pensées, pour les mettre en forme, mais l'inspiration m'est venue alors que j'étais assis sur mon banc de méditation :

- «Méditer ce n'est pas mentaliser les yeux fermés. C'est observer le flux et le reflux de ses pensées sans y participer : sans les rejeter ni s'y accrocher...»

- «La pleine conscience, c'est comme le vélo : une fois qu'on a appris, on n'oublie jamais plus. Le tout est de faire l'effort du premier apprentissage, puis de s'y remettre régulièrement. Car méditer ne nous est bénéfique que si l'on pratique. Ce n'est pas le concept de vélo qui est bon pour la santé, c'est l'art de pédaler. Même chose pour la méditation...»

- «Dans la méditation, il faut laisser venir plutôt qu'aller chercher...»

- «Avoir l'esprit distrait lorsqu'on médite, ce n'est pas grave, c'est normal. La distraction lors de la méditation, c'est comme l'essoufflement lors de la course à pied : un phénomène logique. Un peu gênant, mais qui ne doit pas nous dissuader de continuer. Et plus on sera entraîné – à méditer ou à courir – moins le phénomène – distraction

ou essoufflement – nous dérangera et nous
dissuadera. »

• « La pleine conscience est un espace dans lequel
nous percevons mieux la frontière entre le réel
de notre vie et le virtuel de notre esprit : réel
de nos difficultés et virtuel de nos angoisses à
propos de nos difficultés ; réel de nos véritables
besoins et virtuel de nos impulsions factices. »

• « N'espère rien, n'attends rien, mais réjouis-toi
de tout ce qui vient. »

Votre propre liste :

_____

_____

_____

_____

_____

_____

_____

_____

_____

QUELQUES LIVRES UTILES
POUR EN SAVOIR PLUS
SUR LA MÉDITATION
DE PLEINE CONSCIENCE

Poétiques

- André C., *Méditer, jour après jour. 25 leçons de pleine conscience*, Paris, L'Iconoclaste, 2011 (avec un CD d'exercices).

- Kabat-Zinn J., *Où tu vas, tu es. Apprendre à méditer pour se libérer du stress et des tensions profondes*, Paris, J'ai Lu, 1996.

- Kabat-Zinn J., *L'éveil des sens. Vivre l'instant présent grâce à la pleine conscience*, Paris, Les Arènes, 2009, nouvelle édition revue et augmentée, 2014.

- Kabat-Zinn J., *Méditer. 108 leçons de pleine conscience*, Paris, Les Arènes, 2010 (avec un CD d'exercices).

Bouddhistes

- Ajahn Brahm, *Manuel de méditation selon le bouddhisme Theravada*, Paris, Almora, 2011.

- Dilgo Khyentsé Rinpoché, *Le Trésor du cœur des êtres éveillés*, Paris, Le Seuil, coll. «Points», 1996.

- Hart W., *L'Art de vivre, Méditation Vipassana enseignée par S. N. Goenka*, Paris, Le Seuil, 1997.

- Midal F., *Pratique de la méditation*, Paris, Le Livre de Poche, 2012 (avec CD).

- Ricard M., *L'Art de la méditation*, Paris, NiL, 2008.

- Ricard M., *Chemins spirituels. Petite anthologie des plus beaux textes tibétains*, Paris, NiL, 2010.

- Tich Nhat Hanh, *Le Miracle de la pleine conscience. Manuel pratique de méditation*, Paris, J'ai Lu, 2008.

- Vénérable Hénépola Gunaratana, *Méditer au quotidien. Une pratique simple du bouddhisme*, Paris, Marabout, 1995.

- Yongey Mingyour Rinpoché, *Bonheur de la méditation*, Paris, Fayard, 2007.

Scientifiques
- Hanson R. et Mendius R., *Le Cerveau de Bouddha. Bonheur, amour et sagesse au temps des neurosciences*, Paris, Les Arènes, 2011.

- Rosenfeld F., *Méditer, c'est se soigner*, Paris, Les Arènes, 2007.

Psychothérapiques
- Fehmi L. et Robbins J., *La Pleine Conscience. Guérir le corps et l'esprit par l'éveil de tous les sens*, Paris, Belfond, 2010.

- Maex E., *Mindfulness: apprivoiser le stress par la pleine conscience*, Bruxelles, De Boeck, 2007.

- Kabat-Zinn J., *Au cœur de la tourmente, la pleine conscience*, Bruxelles, De Boeck, 2009.

- Segal Z. et coll., *La Thérapie cognitive basée sur la pleine conscience pour la dépression*, Bruxelles, De Boeck, 2006.

- Williams M. et coll., *Méditer pour ne plus déprimer. La pleine conscience, une méthode pour mieux vivre*, Paris, Odile Jacob, 2009 (avec un CD d'exercices).

- Williams M., Penman D., *Méditer pour ne plus stresser. Trouver la sérénité, une méthode pour se sentir bien*, Paris, Odile Jacob, 2013 (avec un CD d'exercices).

Coffrets CD audio
- Kabat-Zinn J., *Méditations guidées: Programme MBSR - La réduction du stress basée sur la pleine conscience*, Bruxelles, De Boeck, 2013.

- Midal F., *Méditations, 12 méditations guidées pour s'ouvrir à soi et aux autres*, Paris, Audiolib, 2013.

- Midal F., *Méditations sur l'amour bienveillant*, Paris, Audiolib, 2013.

QUELQUES SITES INTERNET SUR LA PLEINE CONSCIENCE EN PSYCHOTHÉRAPIE

- Association francophone (avec une liste de praticiens) : www.association-mindfulness.org

- Site de l'université de Louvain-la-Neuve, en Belgique : www.cps-emotions.be/mindfulness/index.php

- Site de l'université du Massachusetts, aux États-Unis : www.umassmed.edu/cfm/index.aspx

- Site de l'université de Bangor, au pays de Galles : www.bangor.ac.uk/mindfulness

NOTES BIBLIOGRAPHIQUES

PRÉLUDE

La présence, pas le vide

- Une belle étude scientifique sur la manière dont Rembrandt faisait voyager à sa guise l'œil des observateurs dans les différentes parties de ses tableaux : DiPaola S. et coll., « Rembrandt's Textural Agency : A Shared Perspective in Visual Art and Science », *Leonardo*, vol. 43, n° 2, avril 2010, p. 145-151.

- Schama S., *Les Yeux de Rembrandt*, Paris, Le Seuil, 2004.

- Wallace B. A. et Shapiro S. L., « Mental Balance and Well-Being : Building Bridges Between Buddhism and Western Psychology », *American Psychologist*, vol. 61, octobre 2006, p. 690-701.

1. PRENDRE CONSCIENCE

Vivre l'instant présent

- La citation de Christian Bobin est extraite de son ouvrage *Les Ruines du ciel*, Paris, Gallimard, « Folio », 2009, p. 147.

- Vénérable Hénépola Gunaratana, *Méditer au quotidien. Une pratique simple du bouddhisme*, Paris, Marabout, 1995.

Habiter son corps

- Davidson R. J. et coll., « Alterations in Brain and Immune Function Produced by Mindfulness Meditation », *Psychosomatic Medicine*, vol. 65, juillet-août 2003, p. 564-570.

- Epel E. S., Daubenmier J., Moskowitz J. T., Folkman S. et Blackburn E. H., « Can Meditation Slow Rate of Cellular Aging ? Cognitive Stress, Mindfulness, and Telomeres », *Annals of the New York Academy of Sciences*, vol. 1172, août 2009, p. 34-53.

- Jacobs T. L., Epel E. S., Lin J., Blackburn E. H., Wolkowitz O. M., Bridwell D. A., Zanesco A. P., Aichele S. R., Sahdra B. K., MacLean K. A., « Intensive Meditation Training,

Immune Cell Telomerase Activity, and Psychological Mediators », *Psychoneuroendocrinology*, octobre 2010.

Fermer les yeux et écouter

- La citation de Yone Noguchi est extraite du recueil *Sources de sagesse orientale*, Genève, Weber, 1975.

Observer ses pensées

- Ricard M., *Plaidoyer pour le bonheur*, Paris, NiL, 2003.

Donner un espace à ses émotions

- La citation de Montaigne est extraite de ses *Essais* : 3,8, «De l'art de conférer».

- Raes F. et coll., «Mindfulness and Reduced Cognitive Reactivity to Sad Mood : Evidence From a Correlational Study and a Non-Randomized Waiting List Controlled Study », *Behaviour Research and Therapy*, vol. 47, juillet 2009, p. 623-627.

- Farb N. A. S. et coll., «Minding One's Emotions : Mindfulness Training Alters the Neural Expression of Sadness », *Emotion*, vol. 10, février 2010, p. 25-33.

Déployer son attention pour accroître sa conscience

- Parmi les recherches sur la conscience les plus récentes et les plus passionnantes, lire par exemple Christof Koch, *À La Recherche de la conscience, une enquête neurobiologique*, Paris, Odile Jacob, 2006. Ou bien Antonio Damasio, *L'Autre Moi-même, les nouvelles cartes du cerveau, de la conscience et des émotions*, Paris, Odile Jacob, 2010. Et aussi une synthèse accessible et rigoureuse de Philippe Presles, *Ce qui n'intéressait pas Freud. Les nouveaux mystères de la conscience*, Paris, Robert Laffont, 2011.

- La phrase de James sur l'attention : «[Attention is] the taking possession of the mind, in clear and vivid form, of one out of what seem several simultaneously possible objects or trains of thoughts. [...] It implies withdrawal from some things in order to deal effectively with others », est extraite de *The Principles of Psychology*, vol. 1, 1890, chap. 11, «Attention», p. 403-404. Pour une introduction en français à l'œuvre de William James : *Précis de psychologie*, Paris, Les Empêcheurs de penser en rond, 2003.

- MacLean K. A. et coll., «Intensive Meditation Training Improves Perceptual Discrimination and Sustained Attention», *Psychological Science*, vol. 21, juin 2010, p. 829-839.

- Il existe de nombreuses études sur les entraînements attentionnels dans les troubles anxieux et dépressifs. Un bon exemple en français, appliqué à la peur de rougir, est proposé dans l'ouvrage d'Antoine Pelissolo et Stéphane Roy, *Ne plus rougir et accepter le regard des autres*, Paris, Odile Jacob, 2009.

- Sur les environnements psychotoxiques : André C., «Consommer moins pour exister mieux!», *Cerveau & Psycho*, n° 36, mai-juin 2010, p. 16-17.

N'être qu'une présence
- Saint Augustin, *Les Confessions*, Paris, Garnier Flammarion, 1964.

- Claudel P., *Psaumes*, Paris, Téqui, 1986.

- De Mello A., *Un chemin vers Dieu. Petits exercices pour apprendre à prier*, Paris, Albin Michel, 2006.

- Saint Ignace de Loyola, *Exercices spirituels*, Paris, Desclée de Brouwer, 1992.

- Quignard P., *La Nuit et le Silence*, Paris, Flohic Éditions, 1995.

2. VIVRE AVEC LES YEUX DE L'ESPRIT GRANDS OUVERTS
Voir l'invisible
- Bott G. C., *Nature morte*, Cologne, Taschen, 2008.

- Comte-Sponville A., *Chardin, ou la matière heureuse*, Paris, Adam Biro, 1999.

- Prigent H. et Rosenberg P., *Chardin, la matière silencieuse*, Paris, Gallimard, coll. «Découvertes», 1999.

- Schneider N., *Les Natures mortes*, Cologne, Taschen, 2009.

Voir l'important

- La citation sur les «pensées courtes» est extraite de l'ouvrage de Tiziano Terzani, *Le Grand Voyage de la vie. Un père raconte à son fils*, Paris, Le Seuil, coll. «Points», 2009.

- Thoreau H. D., *Journal 1837-1861*, Paris, Éditions Pierre Terrail/ Édigroup, 2005.

- Thoreau H. D., *La Vie sans principe*, Paris, Mille et Une Nuits, 2004.

- Thoreau H. D., *Walden ou la vie dans les bois*, Paris, Aubier, coll. «Bilingue», 1967.

- Cioran, *Cahiers*, Paris, Gallimard, 1997.

- Des Forêts L.-R., *Pas à pas jusqu'au dernier*, Paris, Mercure de France, 2001.

- Sur le matérialisme : Kasser T., *The High Price of Materialism*, Cambridge, MIT Press, 2002. Pélegrin-Genel E., *Des souris dans un labyrinthe. Décrypter les ruses et manipulations de nos espaces quotidiens*, Paris, La Découverte, 2010. Raynor H. A. et Epstein L. H., «Dietary Variety, Energy Regulation, and Obesity», *Psychological Bulletin*, vol. 127, n° 3, mai 2001, p. 325-341. Schwartz B., *Le Paradoxe du choix*, Paris, Michel Lafon, 2006.

- De Foucauld J.-B., *L'Abondance frugale. Pour une nouvelle solidarité*, Paris, Odile Jacob, 2010.

- Quelques sites de lutte contre le matérialisme : www. commercialfreechildhood. org / www. simpleliving. nethttp: //simplicitevolontaire. info / www. bap. propagande.org

Agir et ne pas agir

- La citation sur l'immobilité est extraite de l'ouvrage de Jacques Castermane, *La Sagesse exercée*, Paris, La Table Ronde, 2005.

- Sur l'usage de l'action en psychothérapie
Pour les professionnels de santé : Martell C. R. et coll., *Behavioral Activation for Depression. A Clinician's Guide*, New York, Guilford, 2010.
Pour les patients : Addis M. E. et Martell C. R., *Vaincre la dépression. Une étape à la fois*, Montréal, Les Éditions de l'Homme, 2009.

Affûter son esprit

- Moore A. et Malinowski P., «Meditation, Mindfulness and Cognitive Flexibility», *Consciousness and Cognition*, vol. 18, n° 1, mars 2009, p. 176-186.

- Nielsen L. et Kaszniak A. W., «Awareness of Subtle Emotional Feelings : a Comparison of Long-Term Meditators and Nonmeditators», *Emotion*, vol. 6, août 2006, p. 392-405.

- Piaget J., *La Représentation du monde chez l'enfant*, Paris, Presses Universitaires de France, coll. «Quadrige», 2003.

- La citation de Freud est extraite de son ouvrage *Introduction à la psychanalyse*, Paris, Payot, coll. «Petite Bibliothèque», 2004.

- La citation de Thich Nhat Hanh est extraite de son ouvrage *Le Miracle de la pleine conscience*, Paris, J'ai Lu, 2008.

- La citation de Simone Weil (ainsi que toutes celles qui sont présentes dans ce livre) est extraite de son ouvrage *La Pesanteur et la Grâce*, Paris, Plon, 1988.

- Pour approfondir les concepts bouddhistes : Khyentsé Rinpoché D., *Le Trésor du cœur des êtres éveillés*, Paris, Le Seuil, 1996. Nhat Hanh T., *Le Cœur des enseignements du Bouddha*, Paris, La Table Ronde, 2000. Midal F., *ABC du bouddhisme. Apprendre à méditer, travailler sur soi, ouvrir son cœur*, Paris, Grancher, 2008 (ouvrage dont est extraite la citation sur le «miroitement du réel»). Midal F., *Quel bouddhisme pour l'Occident ?*, Paris, Le Seuil, 2006.

Comprendre et accepter ce qui est

- La citation «Vous n'avez pas à accepter les choses : elles sont déjà là» est extraite du livre de Prakash S., *L'Expérience de l'unité. Dialogues avec Svâmi Prajnânpad*, Paris, Accarias L'Originel, 1986.

- La citation sur «sagesse et opposants» est extraite de l'ouvrage de Jonathan Haidt, *L'Hypothèse du bonheur. La redécouverte de la sagesse ancienne dans la science contemporaine*, Bruxelles, Mardaga, 2006.

- Ouvrages permettant d'approfondir la réflexion sur l'acceptation : Comte-Sponville A., *De l'autre côté du désespoir. Introduction à la pensée de Svâmi Prajnânpad*, Paris, Accarias L'Originel, 1997. Castermane J., *La Sagesse exercée*, *op. cit.* Krishnamurti J., *Se libérer du connu*, Paris, Stock, 1969. Prakash S., *L'Expérience de l'unité. Dialogues avec Svâmi Prajnânpad, op. cit.*

3. TRAVERSER LES TEMPÊTES

Se libérer de ses prisons mentales

- Sur la douleur : Les modifications observées chez les méditants zen expérimentés sont un accroissement de l'épaisseur du cortex, notamment dans les zones du cortex cingulaire antérieur et du cortex somatosensoriel, impliquées dans la perception de la douleur. Grant J. A. et coll., « Cortical Thickness and Pain Sensitivity in Zen Meditators », *Emotion*, vol. 10, février 2010, p. 43-53. Speca M. et coll., « A Randomized, Wait-List Controlled Trial : The Effect of Mindfulness Meditation-Based Stress Reduction Program on Mood and Symptoms of Stress in Cancer Outpatients », *Psychosomatic Medicine*, vol. 62, septembre-octobre 2000, p. 613-622. Morone N. E. et coll., « Mindfulness Meditation for the Treatment of the Chronic Low Back Pain in Older Adults », *Pain*, vol. 134, n° 3, février 2008, p. 310-319.

- Sur les modifications cérébrales liées à la pratique de la pleine conscience : Luders E. et coll., « The Underlying Anatomical Correlates of Long-Term Meditation : Larger Hippocampal and Frontal Volumes of Gray Matter », *NeuroImage*, vol. 45, avril 2009, p. 672-678. Lutz A. et coll., « Long-Term Meditators Self-Induce High-Amplitude Gamma Synchrony During Mental Practice », *PNAS*, vol. 101, n° 46, novembre 2004, p. 16369-16373. Rubia K., « The Neurobiology of Meditation and Its Clinical Effectiveness in Psychiatric Disorders », *Biological Psychology*, vol. 82, n° 1, septembre 2009, p. 1-11.

- La citation sur « prison et barreaux » est extraite du livre d'Alexandre Jollien *Le Philosophe nu*, Paris, Le Seuil, 2010.

- Sur les ruminations, pour les professionnels de santé : Papageorgiou C. et Wells A. (éd.), *Depressive Rumination*, John Wiley, 2004. Davey G. C. L. et Wells A. (éd.), *Worry and Its Psychological Disorders*, John Wiley, 2006.

Lâcher prise

- Hayes S.C., Folette V.M. et Linehan M.M., *Mindfulness and acceptance*, New York, Guilford Press, 2004.

Rester présent au monde

- Cacciatore J., Flint M., *Attend: toward a mindfulness-based bereavement care model*, Death Studies, 2012, 36: 61-82.

Avancer, même blessé

- Pour les professionnels de santé, quelques références d'études classiques ou récentes sur l'usage de la pleine conscience dans les troubles anxieux ou dépressifs : Teasdale J. D. et coll., « Prevention of Relapse/Recurrence in Major Depression by Mindfulness-Based Cognitive Therapy », *Journal of Consulting and Clinical Psychology*, vol. 68, n° 4, août 2000, p. 615-623. Kuyken W. et coll., « Mindfulness-Based Cognitive therapy to Prevent Relapse in Recurrent Depression », *Journal of Consulting and Clinical Psychology*, vol. 76, n° 6, décembre 2008, p. 966-978. Segal Z. et coll., « Antidepressant Monotherapy Versus Sequential Pharmacotherapy and Mindfulness-Based Cognitive Therapy, or Placebo, for Relapse Prophylaxis in Recurrent Depression », *Archives of General Psychiatry*, 2010. Barnhofer T. et coll., « Mindfulness-Based Cognitive Therapy as a Treatment for Chronic Depression : A Preliminary Study », *Behaviour Research and Therapy*, vol. 47, n° 5, mai 2009, p. 366-373. Kenny M. et Williams J. M. G., « Treatment-Resistant Depressed Patients Show a Good Response to Mindfulness-Based Cognitive Therapy », *Behaviour Research and Therapy*, vol. 45, n° 3, mars 2007, p. 617-625.

- Et pour nos lecteurs non professionnels de santé, cette recommandation : à ce jour, la méditation, quelle qu'en soit la forme, n'a pas fourni assez de preuves lui permettant d'être considérée comme un outil de traitement des maladies psychiques (ni des autres d'ailleurs). Elle a par contre démontré qu'elle est un bon outil de prévention des rechutes, c'est-à-dire de maintien en aussi bonne santé que possible, en tenant compte des fragilités et du passé de chacun. Si vous souffrez (ou l'un de vos proches) d'une maladie psychiatrique, la méditation pourra vous aider, mais non vous soigner.

- Berghmans C. et coll., «La méditation comme outil psychothérapique complémentaire : une revue de questions», *Journal de thérapie comportementale et cognitive*, vol. 19, n° 4, décembre 2009, p. 120-135.

Consentir au mystère

- La citation de Viktor Frankl se trouve dans le bel ouvrage de Tzvetan Todorov, *Face à l'extrême*, Paris, Le Seuil, coll. «Points», 1994, p. 99.

- Lire aussi, de Viktor Frankl, *Découvrir un sens à sa vie. Avec la logothérapie*, Montréal, Éditions de l'Homme, 2006.

- Phillips A., *Trois capacités négatives*, Paris, L'Olivier, 2009.

- La métaphore des étoiles cachées par le soleil est d'André Comte-Sponville, dans son ouvrage *L'Esprit de l'athéisme. Introduction à une spiritualité sans Dieu*, Paris, Albin Michel, 2006.

Voir émerger doucement le bonheur

- André C., *Les états d'âme. Un apprentissage de la sérénité*, Paris, Odile Jacob, 2009.

- Pour approfondir la vision chinoise du bonheur : Dan Y., *Le Bonheur selon Confucius. Petit manuel de sagesse universelle*, Paris, Belfond, 2009. Jullien F., *Nourrir sa vie à l'écart du bonheur*, Paris, Le Seuil, 2005.

- La citation de Camus sur «bonheur et conscience» est extraite de son ouvrage *L'Envers et l'endroit*, Paris, Gallimard, coll. «Folio Essais», n° 41, 1986, p. 118.

- La citation d'Etty Hillesum est extraite de son ouvrage *Une vie bouleversée*, Paris, Le Seuil, coll. «Points», 1995.

- La citation d'Evguénia Guinzbourg est extraite de son ouvrage *Le Vertige*, tomes 1 et 2, Paris, Le Seuil, coll. «Points», 1997.

- Wood A. M. et Joseph S., «The Absence of Positive Psychological (Eudemonic) Well-Being as a Risk Factor for Depression : A Ten Year Cohort Study», *Journal of Affective Disorders*, vol. 122, n° 3, mai 2010, p. 213-217.

- Brown K. W. et Ryan R. M., «The Benefits of Being Present : Mindfulness and Its Role in Psychological Well-Being», *Journal of Personality and Social Psychology*, vol. 84, n° 4, avril 2003, p. 822-884.

4. OUVERTURES ET ÉVEILS

Travailler

- Perec G., *Espaces d'espaces*, Paris, Éditions Galilée, 1974.

- La « cloche de la pleine conscience » est une institution du célèbre Village des pruniers, fondé par Thich Nhat Hanh. Informations : http://villagedespruniers.net

Contempler

- La citation d'André Comte-Sponville est extraite de son *Dictionnaire philosophique*, Paris, Presses Universitaires de France, 2001.

- *Dictionnaire des mots de la foi chrétienne*, Paris, Les Éditions du Cerf, 1989.

- La citation de Christian Bobin est extraite d'une de ses chroniques pour *Le Monde des religions* : « Le prophète au souffle d'or », mai-juin 2010.

- Jossua J.-P., *Seul avec Dieu. L'aventure mystique*, Paris, Gallimard, coll. « Découvertes », 1996.

- Panikkar R., *Le Silence du Bouddha. Une introduction à l'athéisme religieux*, Arles, Actes Sud, 2006.

- Sur le lien à la nature et la biophilie : Éric Lambin, *Une écologie du bonheur*, Paris, Le Pommier, 2009.

Aimer

- Les méditations sur l'amour altruiste sont notamment détaillées dans l'ouvrage de méditation de Ricard M., *L'Art de la méditation*, Paris, NiL, 2008.

- Sur l'utilisation de la compassion en psychothérapie, voir pour synthèse : Gilbert P., *Compassion Focused Therapy*, Routledge, 2010. Gilbert P. (éd.), *Compassion. Conceptualisations, Research and Use in Psychotherapy*, Routledge, 2005.

Ainsi que cette recherche originale montrant que la méditation altruiste améliore le lien aux autres : Hutcherson C. A. et coll., « Loving-Kindness Meditation Increases Social Connectedness », *Emotion*, vol. 8, n° 5, octobre 2008, p. 720-724.

Expérimenter l'extension et la dissolution de soi

- Paquet M., *Magritte, la pensée visible*, Cologne, Taschen, 2005.

- Teilhard de Chardin P., *Le Phénomène humain*, Paris, Le Seuil, 1965.

- La citation «Abandonne tout, abandonne tout ce que tu connais...» est extraite de l'ouvrage de Tiziano Terzani, *Le Grand Voyage de la vie*, *op. cit.*

- Comte-Sponville A., *L'Esprit de l'athéisme. Introduction à une spiritualité sans Dieu*, *op. cit.*

- Lenoir F. et Tardan-Masquelier Y., *Le Livre des sagesses. L'aventure spirituelle de l'humanité*, Paris, Bayard, 2005.

- Une étude (parmi d'autres) montrant comment nombre de douleurs psychologiques sont liées à une focalisation excessive sur soi : Way B. M. et coll., «Dispositional Mindfulness and Depressive Symptomatology : Correlations With Limbic and Self-Referential Neural Activity During Rest», *Emotion*, vol. 10, n° 1, février 2010, p. 12-24.

ENVOL, FIN ET COMMENCEMENT

- La citation de Christian Bobin est extraite de son livre *La grande vie*, Paris, Gallimard, 2014, p. 32.

DU MÊME AUTEUR

Aux éditions L'Iconoclaste

- André C., *Méditer, jour après jour. 25 leçons de pleine conscience*,
L'Iconoclaste, 2011 (avec un CD d'exercices).
Note de l'éditeur : l'ouvrage que vous tenez entre les mains
est une version revue et sans illustrations du livre *Méditer,
jour après jour*.

- *De l'art du bonheur*, 2010 (nouvelle édition).

Aux éditions Odile Jacob

- *Et n'oublie pas d'être heureux. Abécédaire de psychologie positive*, 2014.

- *Sérénité, 25 histoires d'équilibre intérieur*, 2012.

- *Les États d'âme. Un apprentissage de la sérénité*, 2009.

- *Imparfaits, libres et heureux. Pratiques de l'estime de soi*, 2006.

- *Psychologie de la peur. Craintes, angoisses et phobies*, 2004.

- *Vivre heureux. Psychologie du bonheur*, 2003.

- *La Force des émotions. Amour, colère, joie*, 2001
(avec François Lelord).

- *La Peur des autres. Trac, timidité et phobie sociale*, 2000
(avec Patrick Légeron).

- *L'Estime de soi. S'aimer mieux pour vivre avec les autres*, 1999
(avec François Lelord).

- *Comment gérer les personnalités difficiles*, 1996
(avec François Lelord).

Aux éditions du Seuil (coll. «Points»)

- *Je résiste aux personnalités toxiques (et autres casse-pieds)*, 2011
(avec le dessinateur Muzo ; nouvelle édition de *Petits pénibles
et gros casse-pieds*, paru en 2007).

- *Je guéris mes complexes et mes déprimes*, 2010 (avec le dessinateur
Muzo ; nouvelle édition de *Petits complexes et grosses déprimes*,
paru en 2004).

- *Je dépasse mes peurs et mes angoisses*, 2010 (avec le dessinateur
Muzo ; nouvelle édition de *Petites angoisses et grosses phobies*,
paru en 2002).

REMERCIEMENTS

Merci à Sophie de Sivry pour son soutien
inconditionnel, son œil et sa sensibilité.
Elle a fait la beauté de ces pages. Si ce livre,
qui est une petite œuvre d'art, ravit vos yeux,
c'est grâce à elle.

À Catherine Meyer pour sa disponibilité amicale,
son intuition et ses conseils. Elle m'a poussé
à l'écriture la plus précise et la plus évocatrice
possible. Si ce livre vous parle et vous touche,
c'est grâce à elle.

Et à toutes les deux, merci de m'avoir offert
les moyens et le temps nécessaires à la conception
puis à l'écriture de cet ouvrage.
Merci pour tout cela, et pour tout le reste.

Conception graphique Quintin Leeds
Mise en page Daniel Collet (In Folio)
Coordination éditoriale Catherine Meyer
Suivi éditorial Aleth Stroebel et Maude Sapin
Révision des textes Emmanuel Dazin et Léopold Adam
Recherche iconographique La Collection
Photogravure Les Artisans du Regard (Paris)

Crédits photographiques : La Collection
Couverture : Alessandro Allori, *Le Couronnement
de la Vierge*, 1593 (détail). © Domingie & Rabatti
p. 18 : Utagawa Hiroshige, *Été, iris près de Yatsuhashi,
dans la province de Mikawa* (détail). © Artothek - Christie's
p. 28 : Utagawa Hiroshige, *Le Jardin d'iris de Horikiri,*
vers 1857 (détail). © Interfoto
p. 110 : Sandro Botticelli, *Le Printemps*, vers 1482 (détail).
© Domingie & Rabatti
p. 172 : Yun Shouping, *Coquelicots* (détail).
© Artothek-Christie's
p. 222 : Hugo Van der Goes, Triptyque Portinari, Panneau
central, *L'Adoration des Bergers*, vers 1475-1477 (détail).
© Domingie & Rabatti
p. 260 : Art indien (Gujarat) - Panneau brodé avec un
décor floral, vers 1750 (détail). © Artothek - Christie's

Achevé d'imprimer en France sur les presses
de Corlet Imprimeur, en février 2016
ISBN : 978-2-91336-682-4
N° d'impression : 179965
Dépôt légal : Janvier 2015
Imprimé en France